DANS LES GRIFFES
DU SPHINX

Biographie

Michel Amelin est né en 1955. Dévoué aux tout jeunes enfants, il a longtemps enseigné en maternelle avant de diriger un établissement scolaire. Il écrit également des histoires qu'il publie chez Grasset, Nathan et dans les revues de Bayard Presse. Mais il ne faut pas se fier aux apparences, Michel Amelin se passionne aussi pour les intrigues policières, comme le prouvent les nouvelles et les énigmes publiées dans l'*Événement du jeudi*, *La vie*, *Ça m'intéresse* et *Bonne Soirée*. Son roman *Les jardins du casino* (Édition du Masque) a obtenu le prix du livre policier au festival de Cognac en 1989.

Avis aux lecteurs

Vous êtes nombreux à nous écrire et nous vous en remercions.
Pour être sûrs que votre courrier arrive,
adressez votre correspondance à :

Bayard Éditions
Série Polar gothique
3 / 5, rue Bayard
75008 Paris

Et bravo pour votre Passion de lire !

ILLUSTRATION DE COUVERTURE
EMMANUEL GUIBERT
ADAPTATION
PIERRE CHAVOT

DANS LES GRIFFES DU SPHINX

MICHEL AMELIN

PASSION DE LIRE
BAYARD POCHE

Avertissement

Attention, lecteur, tu vas plonger dans le mystère !
Quel secret dissimule ce lieu chargé d'histoire
et de légende ? Quels terribles sentiments
empoisonnent ses habitants ? Où se cache le danger ?
Il te faudra du courage pour découvrir la vérité.
Entre dans l'univers du Polar gothique.
Comme les héros de cette aventure,
tu en sortiras différent.

© 1997, Bayard Éditions
3, rue Bayard, 75008 Paris
Loi n°49 956 du 16 juillet 1949 sur les publications destinées à la jeunesse
Dépôt légal juin 1997
Tous droits réservés. Reproduction même partielle interdite.
ISBN : 2 227 729 88 0

Une invitation redoutable

« Il y a exactement dix ans, mon père, le professeur Radcliffe, mourait à Louxor de façon tragique lors de sa dernière fouille. Pour marquer cet anniversaire, je prie les sept participants de cette opération de se réunir au château. Une surprise les y attend. »

Alan Radcliffe

1

En fin d'après-midi, quand le train entra en gare, les jumeaux attrapèrent leur sac et se levèrent. Leur mère, Elizabeth Peters, resta immobile, le regard vide.

Dix ans auparavant, cette grande blonde aux yeux bleus était une brillante étudiante en égyptologie. Mais sa première fouille, qu'elle effectuait avec le professeur Radcliffe, s'était terminée par un drame. Ensuite elle était devenue journaliste. Pourtant, quand ses enfants étaient nés, neuf mois après cette horrible histoire, elle n'avait pu s'empêcher de leur donner le nom d'un pharaon et celui d'une déesse d'Égypte.

Ils s'appelaient Ramsès et Isis. Ils étaient bruns de peau, avec des cheveux et des yeux noirs, des traits finement dessinés, un nez droit, une bouche large et volontaire. Isis avait une coupe au carré, Ramsès une coupe au bol. Ils étaient grands, vifs et intelligents. Leur étonnante maturité les faisait paraître plus vieux que leur âge.

Une femme descendit du même wagon que la famille Peters. Ramsès remarqua son long cou de héron, sa bouche pincée et ses lunettes cerclées de fer. Elizabeth, quant à elle, eut du mal à reconnaître Agatha Bliss. Dix ans plus tôt, cette dernière, une étudiante de son âge, avait suivi la même expédition avec Radcliffe. Maintenant elle était devenue une vieille fille coincée. Les jumeaux lui serrèrent la main. Elle les fixa comme s'il s'agissait d'animaux bizarres :

– Vous êtes Isis et Ramsès ? Elizabeth, ne me dis pas que…

Ils se tournèrent vers leur mère. Cette dernière eut l'air gêné et les attira à elle. Agatha Bliss affichait un sourire de crocodile.

– Et leur père ? continua-t-elle.

– Papa est mort ! répliqua Isis. Il a attrapé une mauvaise fièvre en Égypte pendant une campagne archéologique. Nous sommes nés après, en Angleterre.

Agatha parut prodigieusement intéressée par les propos d'Isis. Ramsès lança un coup d'œil insistant à sa sœur pour la faire taire. Isis était toujours trop bavarde !

Elizabeth héla le seul taxi qui attendait devant la gare. Elle avait d'abord cru qu'il s'agissait d'une carcasse abandonnée. Mais non, le véhicule démarra et s'avança vers le groupe.

– Agatha, je suppose que tu as reçu le carton du fils Radcliffe ?

– En effet, ma chère. Nous nous rendons aux mêmes festivités ! Mais je serais curieuse de savoir pourquoi tu as traîné tes enfants avec toi ? Aurais-tu une idée derrière la tête ?

— Nous ne quittons jamais maman, lança Ramsès.

Elizabeth eut soudain envie de pleurer. Un gros chauffeur descendit du taxi et leur ouvrit les portières. Elizabeth murmura entre ses dents :

— Agatha, tu as intérêt à tenir ta langue. Mes enfants comptent plus que tout.

— Je ne vois pas de quoi tu veux parler.

— Tu le sais parfaitement !

— Je ne t'ai pas vue depuis dix ans, mais je constate que tu n'as rien perdu de ton sale caractère. Je me demande si je vais voyager avec une femme aussi agressive…

Elizabeth s'installa à l'avant sans répondre. Les jumeaux montèrent à l'arrière. Agatha Bliss voulut repartir dans le hall de la gare. Le chauffeur soupira :

— J'ai passé l'après-midi à amener des invités au manoir Radcliffe. Je ne tiens pas à faire un voyage supplémentaire, surtout avec la montée des eaux de la rivière. Vous venez maintenant, Madame, ou vous devrez supporter sept kilomètres à pied. Il n'y a pas d'autre taxi au village !

Agatha Bliss céda. En prenant place, elle poussa Isis et Ramsès sans ménagement. Ils la détestèrent tout de suite.

La voiture ne valait pas un clou, mais elle roulait. Elle les conduisit à travers les ruelles grises du bourg. Les toits luisaient sous la pluie qui s'était mise à tomber. Le conducteur mit en marche ses essuie-glaces :

— Il pleut comme ça depuis quinze jours. En automne, c'est souvent le cas dans la région. Vous avez de la

chance d'être arrivés aujourd'hui. Je suis certain que ce soir, on ne pourra plus atteindre le manoir Radcliffe.
– Et pourquoi donc ? s'étonna Elizabeth.
– La rivière va déborder ! J'aime autant vous prévenir tout de suite, comme ça, vous saurez à quoi vous en tenir. Le château n'a pas de téléphone et vous risquez d'être bloqués.
– Charmante perspective ! grinça Agatha Bliss.
– Je ne sais pas si j'ai bien fait d'accepter cette invitation.
Elizabeth avait murmuré ces mots comme pour elle-même, mais ses enfants l'avaient entendue. Ramsès protesta :
– J'aimerais voir la propriété du professeur Radcliffe. Tu nous as tellement parlé de cet égyptologue ! Il doit y avoir des tas de souvenirs chez lui.
– Peut-être même des momies ! ajouta Isis.
– Et tu pourras faire un superarticle pour ton journal, Maman !
Agatha Bliss sourit à Ramsès :
– Ta mère est journaliste ?
Le garçon se ferma comme une huître. La vieille fille redressa le menton :
– Elizabeth ! Je ne sais pas si je te l'ai dit, mais je dirige maintenant le Musée pharaonique de Cambridge. Je suis conservateur en chef.
– Félicitations.
– Et si j'ai répondu favorablement à la proposition du fils Radcliffe, c'est parce que j'espère qu'il fera des dons à mon musée.

Le taxi cahota dans des ornières dont l'eau gicla de chaque côté du véhicule. Isis et Ramsès poussaient des cris de joie. Ils avaient l'impression d'être dans une voiture de stock-car. Le chauffeur s'amusait beaucoup, mais les deux dames riaient un peu moins.

– Nous allons passer la rivière ! hurla l'homme pour couvrir le bruit de ferraille. Regardez ! Elle est sur le point de déborder.

L'eau trouble jaillissait à gros bouillons de sous le petit pont avant de se perdre dans une vallée verdoyante. Isis frissonna. Ramsès désigna le coteau qui montait devant lui et s'exclama :

– Voilà le manoir !

2

Alan Radcliffe se leva dès que les Peters et Agatha Bliss entrèrent dans le vaste hall.

Les autres invités étaient déjà arrivés. Ils se tenaient là, assis dans des fauteuils pelucheux placés devant une cheminée gravée d'hiéroglyphes. Sur la gauche, une haute vitrine renfermait une collection de dix poignards égyptiens posés sur du velours noir.

Un grand sphinx sculpté dans un bloc crayeux dominait le groupe. Ramsès remarqua que son nez n'était pas coupé, contrairement à celui de l'original qui veille sur les morts enfouis dans les pyramides de Gizeh.

La tête d'homme semblait énigmatique avec sa coiffure némès. Elle était greffée sur le corps d'un lion au repos. Les griffes se trouvaient à la hauteur du visage des enfants.

Alan Radcliffe se précipita vers les nouveaux arrivants :

– Chère Elizabeth, chère Agatha ! Merci d'avoir répondu à mon invitation. Je tenais à réunir tous les participants de la dernière fouille de mon père. Et vous êtes présentes, avec les autres. Merci !

Son ton était joyeux. Mais Isis remarqua sa mine inquiète. Sa bouche était déformée par des tics.

Alan Radcliffe, corpulent et presque chauve, était vêtu d'un élégant costume gris à fines rayures blanches. Il portait des bagues à ses doigts boudinés et parlait d'une voix aiguë. Il s'arrêta devant les jumeaux :

– Les voilà donc ! Isis et Ramsès ! Dignes réincarnations d'une déesse et d'un pharaon ! Je n'ose même pas vous serrer la main.

Le garçon hésita. Derrière Radcliffe, les autres convives, quatre hommes et une femme habillée d'une robe rouge sang, le scrutaient. Ramsès tendit la main. Alan s'en empara, puis saisit celle d'Isis.

– Votre sphinx, là, il vient d'Égypte ? s'enquit cette dernière.

– Non, chère Demoiselle ! Comme la cheminée et certains meubles du château, il a été fabriqué en Angleterre à la demande de mon père. En revanche, je possède quelques souvenirs authentiques qui datent du Nouvel Empire, la période qu'il préférait.

– L'époque de Toutânkhamon ? intervint Ramsès. A-t-il découvert des tombes intactes ?

Alan Radcliffe releva les yeux et rencontra ceux de Mme Peters :

– Bravo, Elizabeth. Je vois que vos deux adorables jumeaux connaissent déjà très bien leur Antiquité. Votre épopée égyptienne a laissé des traces, n'est-ce pas ?

Elizabeth rougit. Isis et Ramsès sentirent chacun une de ses mains se poser sur leur épaule. De quoi parlait Radcliffe ? Leur mère répondit avec difficulté :

– Vous avez raison, Alan. Je suis venue en souvenir de votre père, et aussi parce que mes enfants sont assez grands pour comprendre certaines choses.

– Ha, ha, ha ! s'esclaffa Alan. Vous êtes toujours aussi franche ! Vous n'avez pas changé !

– Je parlerais plutôt de mauvais caractère, ironisa Agatha, le regard dissimulé par les reflets de ses lunettes.

– Voilà qui est peu sympathique, Agatha ! Moi, je parlerais d'honnêteté. Elizabeth, vous êtes honnête !

– Je l'espère.

– Venez donc rejoindre mes invités. Je n'ai pas besoin de vous les présenter. Vous devriez les reconnaître. Dix ans, ce n'est pas si long, après tout !

Les doigts d'Elizabeth Peters se crispèrent sur les épaules d'Isis et de Ramsès. Elle avait peur devant tous ces gens qui l'observaient. Ses jumeaux s'avancèrent donc avec elle.

3

Jack Mallowan était roux, très grand et très maigre. Il exerçait la profession de médecin. Il avait accompagné l'expédition Radcliffe en tant que nouveau diplômé voulant se spécialiser dans les maladies des pays chauds.

Christian Mertz avait l'air moins triste que Mallowan. Ramsès lui trouva la carrure d'un acteur de films d'action. De son côté, Isis fut fascinée par les sourcils bien dessinés qui accentuaient la profondeur d'un regard aussi noir que de l'encre. Un rapide sourire découvrit ses dents blanches et bien rangées. Il ressemblait à un vrai mannequin ! Pourtant, Elizabeth oublia de le saluer et passa directement aux deux hommes suivants.

Bernard et Paul Smythe étaient tous deux vieux et secs. Professeurs d'égyptologie, ils avaient aidé le professeur Radcliffe à monter sa dernière campagne. Depuis, ils n'étaient plus jamais repartis en Égypte. Ils étaient aujourd'hui retraités, après une carrière dans l'enseignement. Ils fixèrent leurs yeux bleu pâle sur les jumeaux. Ramsès fit un pas de côté, laissant sa mère leur dire quelques mots. Il eut l'impression que les deux frères ne les aimaient pas, lui et sa sœur, et qu'ils les considéraient même avec une espèce de terreur.

Ramsès entraîna Isis près du sphinx :

– Je me demande bien où nous sommes tombés ! Tous ces gens ont l'air de connaître des tas de choses sur nous, alors qu'ils ne nous ont jamais rencontrés !

– Regarde comment maman serre la main de la femme en robe rouge. On voit bien qu'elles se méfient l'une de l'autre ! Mais pourquoi sommes-nous venus ici ? Je n'ai jamais vu maman aussi anxieuse.

Nancy Buckingham rejeta ses longs cheveux dorés en arrière et grimaça un sourire à Elizabeth. Elle ressemblait à une poupée Barbie, avec sa forte poitrine, sa taille mince et ses jambes qui n'en finissaient pas. Sa robe en soie rouge s'étalait autour d'elle. Dix ans auparavant, cette étudiante en histoire de l'art avait profité de l'expédition Radcliffe pour faire ses premières armes. Grâce à sa beauté, à sa volonté et à ses deux riches mariages, elle possédait maintenant l'une des plus grandes galeries de vente d'objets antiques d'Europe.

Agatha Bliss suivait Elizabeth dans la tournée des poignées de mains.

Après avoir contemplé la collection de poignards, Isis et Ramsès se dirigèrent vers une des fenêtres. La pluie tombait si drue qu'elle formait un rideau dissimulant les arbres. Les gouttes crépitaient. Un souffle glacé se déplaçait dans le hall. Les enfants entendirent Alan Radcliffe prier Elizabeth et Agatha de s'asseoir.

– Nous voilà enfin tous réunis ! s'exclama-t-il. Bernard et Paul Smythe, les deux professeurs amis de mon père, ainsi que ses dynamiques étudiants, Elizabeth, Agatha, Nancy, Christian, sans oublier le docteur Mallowan. Merci à vous d'être là pour l'anniversaire de la mort de mon père, décédé lors de sa dernière mission à laquelle vous avez tous participé. Et merci aussi à Elizabeth d'avoir amené ses deux enfants qui symbolisent bien le temps passé. Ils ont été conçus là-bas, n'est-ce pas, ma chère ?

Elizabeth ne répondit pas.

Isis et Ramsès s'appuyaient contre la vitre. Ils ne se sentaient pas à l'aise dans cette ambiance. Alan Radcliffe poussait maintenant des petits cris :

– Je vous ai préparé une surprise, mes chers amis. Mais je crois que je vais attendre ce soir. Il faut savoir faire durer le plaisir, n'est-ce pas ?

– Et si nous nous retrouvons bloqués par la rivière en crue ? lâcha Agatha Bliss. Le chauffeur de taxi en était convaincu.

– La rivière ? Qu'est-ce que c'est que cette histoire de rivière ? s'étonna Nancy Buckingham en tournant ses yeux écarquillés vers le beau Christian Mertz.

– Il va probablement y avoir une crue, l'informa-t-il. Une belle crue qui va tout inonder. Je ne crois pourtant pas qu'il faille s'inquiéter. Alan, en digne fils de son père, est sans doute très prévoyant. N'est-ce pas, Alan ?

Les pupilles de ce dernier se rétrécirent :

– En effet, mon père ne laissait rien au hasard.

– On s'en est rendu compte ! ricana Bernard Smythe.

– Hélas, il n'a pas pu tout prévoir, reprit Agatha.

– Non, ma chère, reprit Alan Radcliffe. Il n'a pas pu tout prévoir. La mort l'a surpris au fond de la fosse.

Un lourd silence pesa sur le groupe.

Le maître de maison sortit une bouteille de champagne d'un buffet Napoléon Ier, en ébène incrusté de motifs égyptiens. Il remplit une file de coupes en cristal et demanda aux petits Peters de s'approcher :

– Nous serons probablement bloqués, mais rappelez-vous le rôle du Nil en Égypte : ses inondations nourrissaient les terres. Il n'y a aucun problème : le manoir Radcliffe peut loger tout le monde. Je vous ai fait préparer des chambres. Donc, en attendant que les eaux de notre Nil montent suffisamment, je propose de porter un toast à la mémoire du professeur Radcliffe, trop tôt disparu.

Personne ne bougea.

4

– J'en étais sûr, dit Alan Radcliffe. Aucun de vous n'a la conscience tranquille !

Il claqua la langue et but seul son verre qu'il reposa délicatement, comme si le pied risquait de se briser entre ses doigts. Son regard évita Mallowan, Mertz, les deux Smythe et les trois femmes pour s'arrêter sur Ramsès et Isis.

– Et vous, chers petits ? Vous voulez bien trinquer avec le fils de l'affreux Radcliffe ?

Ramsès chercha un soutien auprès de sa mère. Elle se mordait les lèvres. Isis s'avança :

– C'est vrai que j'ai soif ! Moi, je ne comprends rien à vos histoires ! Et d'abord, je n'ai jamais connu le professeur Radcliffe. Je voudrais bien un jus d'orange ou un soda.

Cette réplique détendit tout le monde. Même Agatha se mit à rire. Christian se leva et avança vers Isis :

– Tu as bien raison, jeune fille. Ce sont de tristes souvenirs. Tiens, Alan, je le bois, ce champagne.

Il saisit sa coupe et en avala d'un trait le contenu. Elizabeth l'imita, tout comme le docteur Mallowan, Agatha Bliss et les deux Smythe. Seule Nancy Buckingham, nonchalamment étendue sur des coussins brodés, ne broncha pas :

– Eh bien, Nancy ? intervint Christian en lui décochant son plus séduisant sourire. Tu ne veux pas faire la paix ? Bois donc !

– Certainement pas. J'ai trop peur d'être empoisonnée !

– Ça suffit maintenant, dit Bernard Smythe d'une voix grêle. Alan va nous dire pourquoi il nous a réunis pour ce terrible anniversaire. En ce qui me concerne, je ne voulais pas remuer un douloureux passé, mais Paul a insisté pour que nous venions. Alan doit détenir de nouveaux éléments sur la mort de son père. N'est-ce pas, Alan ?

– Oui, Alan ! lança Nancy Buckingham. J'ai passé l'âge de parler pour ne rien dire et de jouer l'hypocrite. J'ai une galerie à faire fonctionner, moi. Je n'ai pas fait tout ce voyage pour perdre mon temps.

Alan Radcliffe leva ses mains potelées et chargées de bagues :

– D'accord ! Une chose après l'autre. Je vais demander à ces deux enfants de m'aider. Ils vont ouvrir la porte qui se trouve juste dans l'alignement du sphinx et nous distribuer les surprises de la soirée.

Ramsès rejoignit Isis qui buvait son soda. Alan Radcliffe leur fit signe. Les jumeaux traversèrent le hall et se dirigèrent vers la porte en question. Dehors, la pluie tombait toujours.

5

C'était un lourd battant de chêne avec une poignée et une serrure de laiton jaune qui brillait comme de l'or. Ramsès le poussa.

La porte grinça. Elle donnait sur un cagibi obscur où flottait une étrange odeur : un mélange de moisi, de parfum d'herbes et de cire. Dix caisses de tailles différentes étaient empilées à l'intérieur, chacune fermée par un crochet. Il y en avait quatre longues et étroites, quatre plus petites, un cube assez volumineux et un gros parallélépipède.

– Prenez, les enfants. Prenez ! dit Alan Radcliffe du fond du vaste hall où les autres attendaient.

Ramsès tira une cassette sur laquelle était écrit au feutre en travers du couvercle de bois « 2, docteur Jack Mallowan ». Il en prit une autre de la même taille, marquée « 6, Nancy Buckingham ». Il les porta aux intéressés qui le remercièrent, très étonnés.

– Ne les ouvrez pas maintenant ! s'écria Radcliffe de

sa voix aiguë. Attendez que les petits Peters aient remis à tous leur présent !

Isis s'empara des numéros 3 et 5 qu'elle apporta sagement à Agatha Bliss et Bernard Smythe.

« Pourquoi ce mystère ? » se demanda-t-elle.

Alan Radcliffe ne lui paraissait pas normal. Était-ce une lubie ? Ses invités prenaient leur mal en patience, mais le climat était pesant, comme s'ils se sentaient pris au piège.

Ramsès venait d'isoler deux autres petites boîtes, les numéros 9 et 10, qui étaient pour lui et sa sœur. Qu'y avait-il à l'intérieur ? Il était dévoré par la curiosité. Était-ce en rapport avec les fouilles du professeur Radcliffe ? Il s'agissait peut-être d'une statuette égyptienne ? Il se chargea des numéros 7 et 8 qu'il donna à Christian Mertz et à sa mère.

Restaient les deux plus gros coffrets. Ramsès fut assez fort pour amener le numéro 1 à Alan Radcliffe, mais il dut se faire aider par Isis pour le numéro 4, destiné à Paul Smythe.

Le vieux professeur considéra son cadeau avec des yeux ronds :

– Qu'est-ce que c'est, Alan ?

– C'est un souvenir du bon vieux temps, Paul.

– Tu me fais peur, Alan.

– Comme nous sommes à l'étroit au milieu des fauteuils, nous allons nous placer face au sphinx. Je pose ma caisse devant son socle. Paul, traînez la vôtre, la plus grosse, et mettez-la juste en dessous de la mienne. Le docteur Mallowan va poser la sienne à gauche,

au bout de celle d'Agatha mise horizontalement. Voilà !
L'autre longue, celle qui porte le numéro 5 de Bernard,
à droite, suivie de la 6 de Nancy. Parfait !

— À quoi rime tout ce cinéma ? s'énerva Christian
Mertz.

— Un peu de patience, Christian. Pose ton long coffret
sous celui de Paul, perpendiculairement. Celui
d'Elizabeth, pareil, de l'autre côté. Ceux de Ramsès
et d'Isis doivent figurer au bout.

La sueur couvrait à présent la figure d'Alan Radcliffe.
Nancy Buckingham fit claquer ses hauts talons sur le
carrelage. Le docteur Mallowan desserra son nœud
de cravate. Le groupe s'écarta afin de contempler la
disposition des caisses.

— Ces objets ne prennent leur valeur que réunis ainsi,
déclara Alan. C'est pour cela que j'ai inscrit des numéros. Maintenant vous pouvez les ouvrir.

Ramsès et Isis furent les premiers à se mettre à genoux.
Ils firent basculer le petit crochet et soulevèrent le
couvercle. Nancy Buckingham, Christian Mertz et
Agatha Bliss les imitèrent.

Un cri d'horreur retentit. Nancy fit un bond en arrière. Agatha bégaya.

Les emballages d'Isis et de Ramsès renfermaient chacun un pied !

— Déballez les autres boîtes ! hurla Alan Radcliffe.

Celle de Christian contenait une jambe ; celle d'Agatha,
un bras droit ; celle de Nancy, une main gauche !

Les autres restant pétrifiés, Alan se chargea lui-même
des dernières caisses. L'autre jambe, la main droite, le

bras gauche apparurent. La plus grosse caisse révéla le tronc entier d'un homme ! Enfin, Alan Radcliffe saisit son cube et le montra à tout le monde.

– Vous reconnaissez ce visage, n'est-ce pas ? cria-t-il. Je vous l'offre !

6

Les Smythe étaient pâles comme des morts. Elizabeth faillit s'évanouir. Christian la rattrapa *in extremis*. Ramsès ne pouvait pas détacher son regard de l'horrible assemblage. Isis avait fermé les yeux.

– Vous connaissez tous parfaitement la religion de l'ancienne Égypte, ricana Alan Radcliffe. Osiris, le dieu suprême, fut coupé en morceaux par son frère Seth, le dieu des Enfers. Mais Isis, sa femme, se mit en quête de tous les morceaux. Elle les retrouva, les réunit, reconstitua son époux et lui redonna vie ! Osiris devint immortel et châtia Seth, son assassin ! Chers enfants, et surtout toi, petite Isis qui portes si bien ton nom, vous venez de réitérer l'exploit de cette déesse !

– Tu es fou à lier…, murmura Bernard Smythe.

– C'est abominable. Comment avez-vous pu faire une chose pareille ?

– Rassurez-vous, Agatha, il ne s'agit que d'un mannequin de cire, mais très bien imité. Mon père voulait reposer dans la crypte égyptienne qu'il avait fait construire au sous-sol. Juste sous ce hall ! J'ai respecté sa volonté. J'ai traité son corps comme l'auraient fait les embaumeurs de l'Antiquité. Sa momie dort dans cette crypte. Et je vous ai réservé ce puzzle !

– Mais… pourquoi ? C'est monstrueux ! s'exclama Elizabeth.

– Mon père crie vengeance. Il reprend en quelque sorte vie devant vous ! Il châtiera son meurtrier.

– C'est faux ! hurla Nancy Buckingham. Le professeur Radcliffe n'a pas été assassiné ! Sur le champ de fouilles, il est descendu tout seul pendant la pause pour creuser dans cette maudite fosse. La terre s'est écroulée sur lui et il a été enterré vivant. Voilà l'explication ! Il n'y en a pas d'autre !

Alan Radcliffe leva les bras au ciel :

– Lorsqu'il est mort, j'étais en Angleterre. J'ai passé des années à mener mon enquête et à vous retrouver. Car, naturellement, vous vous étiez vite dispersés après son décès. Et j'ai découvert que vous aviez tous une raison de souhaiter sa disparition !

– Je ne veux pas supporter plus longtemps les divagations de ce fou furieux, protesta Bernard Smythe. Viens, Paul, on s'en va.

Radcliffe les rappela :

– Écoutez donc mes accusations avant de vous enfuir comme des lâches. Des lâches ! Voilà ce que vous êtes ! Vous, les Smythe, qu'avez-vous fait des rapports et des photographies que mon père avait amassés ? Vous les avez publiés dans des livres, sous votre propre nom ! Vous avez obtenu vos postes de

professeurs en vous servant de son travail. Voleurs !
Et vous, Nancy, avec vos beaux yeux et votre cupidité,
qu'avez-vous fait des bijoux royaux qu'il avait dé-
terrés ? Vous les avez partagés avec Agatha et vendus
à des marchands corrompus. Vous êtes devenue riche !
Et vous, Agatha Bliss, vous avez préféré les offrir à
un musée dont vous visiez le poste de conservateur.
Et vous, docteur Mallowan ! Vous vouliez revenir en
Angleterre, vous en aviez assez du rythme de travail
que mon père vous imposait. Quant à toi, le beau
Christian Mertz ! Tu étais mort de jalousie à cause de
la magnifique histoire d'amour qui débutait entre mon
père et Elizabeth Peters, son étudiante préférée !
– C'est faux ! C'est un mensonge ! cria Elizabeth.
– Prouvez-le ! rétorqua Alan.
Christian Mertz sauta par-dessus les jambes du mannequin, attrapa Alan par le col et lui décocha un coup
de poing qui l'envoya valser contre le socle du sphinx.
– Voilà pour te faire taire !
Alan plaqua sa main sur son nez. Ses yeux étince-
lèrent. Il se redressa avec difficulté.
– Un crétin dans ton genre ne peut réagir que de cette
façon ! Vous êtes tous coincés ici. Je veux savoir qui
a tué mon père ! Je le veux ! Vous entendez ? Le coupable doit se dénoncer. Sinon, la vengeance du professeur Radcliffe sera terrible !
Alan pivota sur ses talons. Il laissa ses invités
muets de stupeur autour du pantin désarticulé.

7

– Je veux partir d'ici, déclara Ramsès.

Elizabeth tremblait de tous ses membres. Isis se rapprocha d'eux.

Christian alla de boîte en boîte pour les refermer. Il en saisit trois et les remit dans le cagibi d'où elles n'auraient jamais dû sortir. Paul Smythe en prit deux et Bernard une. Mallowan traîna la plus grosse caisse. Le teint vert du docteur créait un étrange contraste avec ses cheveux roux.

Il restait la tête du mannequin. Personne ne semblait vouloir s'en saisir.

– Alan est fou ! s'exclama Nancy Buckingham. Je me doutais bien qu'il s'agissait d'un piège.

– Alors pourquoi es-tu venue ? demanda Agatha Bliss.

– Par curiosité, et je… je n'ai entendu que des mensonges et le discours délirant de Radcliffe. Tu es d'accord avec moi, hein ?

Le regard que les deux femmes échangèrent n'échappa guère à Isis. Elles ne s'étaient pas vues depuis dix ans, mais elles avaient l'air de se comprendre à demi-mot. Alan Radcliffe les avait accusées de s'être partagé un trésor. Était-ce vrai ?

Elizabeth enfila son manteau et reprit son sac à main. Isis et Ramsès l'attendaient déjà dans le hall d'entrée. Christian vint les rejoindre. Il ouvrit la porte sur des trombes d'eau. Dehors, le jour baissait déjà.
– Il va falloir courir, annonça-t-il.
– Laissons les bagages. Je suis prête à affronter n'importe quoi pour fuir cette bâtisse ! s'exclama Elizabeth.
Christian Mertz rentra la tête dans les épaules :
– Et les autres ?
– Ils nous suivront bien !
Sous la pluie, la masse du château se profilait derrière eux comme un décor de film d'épouvante. Ramsès sentait des gouttes lui dégouliner dans le cou. Christian avait passé un bras solide autour de ses épaules. Comme il était grand et fort ! Il avait été le seul à faire taire ce détestable Alan Radcliffe ! Ce monstre qui avait découpé le pantin sosie de son père pour leur faire peur. Ramsès espérait qu'il ne revivrait jamais une telle scène de sa vie.
Isis courait aux côtés de sa mère. Elle haletait. L'averse qui lui fouettait le visage lui faisait un bien immense. Les bourrasques de vent secouaient les feuilles ruisselantes des arbres, la terre se transformait en boue. Isis glissa et faillit tomber dans un fossé. Elizabeth la rattrapa de justesse.
Ils descendirent tous les quatre le chemin en pente et

parvinrent en vue de la rivière. Isis poussa un cri. Ramsès écarquilla les yeux. Le cours d'eau avait gonflé au point de faire disparaître totalement le pont en pierre. Ses flots bruns ronflaient, entraînant des branches, des troncs d'arbres et même un rat prisonnier sur une planche comme sur un radeau.

– Nous sommes pris au piège ! cria une voix derrière eux.

8

Ils se retournèrent. Le docteur Mallowan et Agatha Bliss les avaient rejoints. Les lunettes de la femme étaient couvertes d'eau et de buée. Ses cheveux, plaqués sur sa tête osseuse, ressemblaient à de petits serpents.

« Est-ce une voleuse ? » s'interrogea Isis.

– Que font les autres ? demanda Christian Mertz.

Agatha le renseigna :

– Nancy cherche désespérément des bottes. La pauvre chérie n'a apporté que des talons hauts et des robes décolletées. Les Smythe sont partis de l'autre côté.

– Il faut aller les aider, dit Mallowan. Ils sont âgés. Il pourrait leur arriver un grave accident sous cette pluie.

– Ne nous occupons pas d'eux ! rétorqua Agatha. Sauvons-nous d'abord ! Je ne tiens pas à passer une heure de plus avec ce dingue d'Alan ! Mettons-nous à l'abri.

– Quelle générosité ! s'exclama Elizabeth. Tout le monde peut bien disparaître, sauf toi.

Les hommes se regardèrent. Agatha retira ses lunettes pour les essuyer. Elle parut encore plus vieille.

– Si Jack ne m'avait pas accompagnée, je crois que je serais encore à déambuler dans le manoir comme cette imbécile de Nancy ! reprit-elle. Quant à toi, Elizabeth, je vois que tu n'as pas été longue à trouver une âme secourable. On reprend ses vieilles habitudes d'Égypte ?

Elizabeth se mit à respirer très fort. Agatha la défiait, la toisant du regard. Mallowan lui tira la manche.

– Ce n'est pas le moment de vous chamailler, Agatha. De toute façon, il n'y a aucun passage par ici. On va longer la propriété. Nous découvrirons peut-être un autre endroit par où s'enfuir. On ne sait jamais.

Ramsès était indigné par la méchanceté d'Agatha. Quand ils reprirent leur marche, il la heurta comme par mégarde.

Elle tituba, étendit les bras pour amortir sa chute et plongea dans une mare de boue en poussant un hurlement. Mallowan et Christian durent s'y mettre à deux pour l'en sortir :

– Ce sale gamin l'a fait exprès ! rugit la vieille fille.

– Tu n'as vraiment pas changé, siffla Elizabeth. Pour accuser les autres, tu es toujours la première.

– Petite garce ! J'en aurais des choses à dire, moi, sur ces deux enfants de l'amour.

– Ça ne te regarde pas ! Tu ne sais rien. Rien du tout ! Et prends garde. Alan Radcliffe n'a pas dit que des mensonges.

– Venez ! ordonna Mallowan pour couper court à leur dispute.

La pluie redoubla d'intensité. On ne voyait pas à deux mètres. Agatha Bliss s'appuya à un arbre, renfrognée :

— Je ne vais pas plus loin. J'attends ici.

— Il faut rester en groupe, lança Christian à travers le fracas du déluge.

— Je ne veux pas accompagner une fille qui m'accuse d'être une voleuse !

Elizabeth était au comble de la fureur. Ses enfants ne la reconnaissaient plus. Elle prit Christian Mertz et Mallowan à témoin :

— Radcliffe a raison ! En tant que journaliste, j'ai suivi leurs combines. Nancy a bien vendu une moitié du trésor, et Agatha s'est imposée au Musée pharaonique comme bienfaitrice puis conservateur en chef en faisant don de l'autre moitié !

— C'est faux !

— Nous avons un dossier sur vous, au journal.

— Sale peste ! Je suis certaine que c'est toi qui as tout révélé à Radcliffe. C'est toi qui lui as fourni le rapport détaillé ? Avoue !

Agatha se jeta sur Elizabeth. Christian et Mallowan eurent beaucoup de mal à les séparer.

Ramsès et Isis se mordaient les lèvres pour ne pas crier.

9

Agatha Bliss ne voulut rien entendre. Elle resta vissée à son tronc d'arbre. Elizabeth, ses jumeaux et Christian Mertz suivirent le docteur Mallowan à la recherche d'un autre passage. Parfois, ils s'arrêtaient pour tenter d'apercevoir la berge que dévoraient peu à peu les flots bouillonnants de la rivière en crue.
Plus ils avançaient, plus ils avaient le sentiment que l'étendue d'eau grandissait autour d'eux. Tel un décor fantastique, des branchages pointaient hors de la surface mouvante, des piquets de clôtures ne laissaient apparaître que leur extrémité. Le déluge se poursuivait. Au bout de deux cents mètres dans cet enfer, Jack Mallowan les abandonna.
– Je retourne voir ce que devient Agatha, hurla-t-il, les paupières plissées pour se protéger les yeux des gouttes. Il pourrait lui arriver malheur. Continuez sans moi. Contournez le château et tâchez de mettre la main sur les frères Smythe. Ce serait trop bête qu'ils se noient !

Christian acquiesça. Elizabeth poussa Isis et Ramsès devant elle. La fillette marchait comme une somnambule, insensible maintenant à cette eau qui se déversait sur elle, à ces grandes herbes qui lui fouettaient les jambes. Ramsès, lui, semblait désespéré.

« Nous sommes condamnés à être prisonniers du manoir Radcliffe. Alan a bien insisté là-dessus ! Peut-être même l'a-t-il prévu ? Et qu'a voulu dire Miss Bliss en parlant de moi et d'Isis ? Maman cache une histoire concernant Christian et le professeur. »

Depuis plus d'une heure, il tentait de deviner le sens des propos d'Alan Radcliffe et de ceux d'Agatha Bliss. Elizabeth leur avait toujours affirmé que leur père était mort en Égypte, à cause d'une maladie. Or, personne n'avait encore parlé d'un autre membre de l'expédition décédé là-bas. Seul le professeur Radcliffe, le patron, avait été victime d'un atroce accident. Cela voulait-il dire que… ?

Ramsès écarta vite la pensée qui lui vint à l'esprit. Il préféra agripper le manteau de sa mère et se concentrer sur la marche que la végétation rendait pénible.

Isis fut la première à apercevoir une forme humaine tassée contre un arbre.

– Il y a quelqu'un là ! cria-t-elle.

Était-ce les secours ? Ou un promeneur égaré ? Elizabeth fut soulagée. Quelqu'un allait donc partager leur sort !

Christian joua des coudes pour avancer à travers les buissons. Il découvrit Bernard Smythe en état de choc, incapable de faire le moindre mouvement.

— Où est Paul ? hurla Mertz en lui secouant l'épaule.

— Il est parti… parti par là… Sauvez-moi ! Je vais mourir…

Il toussa. Christian le prit dans ses bras. Le professeur semblait très léger.

— Vous avez trouvé un passage ? lui demanda Elizabeth avec une note d'espoir dans la voix. Vous avez vu quelque chose de l'autre côté ?

La tête de Smythe dodelinait contre la poitrine de Mertz.

— Rien… rien… nous… disputés. Paul en colère…

Il fallait retourner au château. La pluie ne diminuait pas. Toute fuite était désormais impossible. Isis marchait juste à côté de Christian. Elle percevait les mots sans suite que prononçait le professeur. Peu à peu, elle comprit ce qui venait de se passer. Bernard et Paul s'étaient violemment querellés à propos des accusations de Radcliffe.

— Vrai…, disait Bernard. Paul… veut pas… Mais vrai…

Christian Mertz, trop occupé à porter Smythe et à chercher le chemin dans la tempête, n'écoutait pas.

10

Isis et Ramsès couraient devant les trois adultes. Ils aperçurent enfin un sentier qui grimpait entre des fourrés denses et obscurs. Ils s'y engagèrent et arrivèrent bientôt en vue de la façade arrière du manoir Radcliffe. Ils avaient contourné le domaine sans découvrir la moindre issue.

La bâtisse cernée par les flots se trouvait maintenant sur une île ! Si seulement ils avaient écouté le chauffeur de taxi, ils n'auraient pas été bloqués avec ce fou furieux d'Alan.

Il n'y avait plus qu'une chose à faire : rentrer dans ce bâtiment qui les oppressait pour y trouver refuge contre l'eau. Mais un refuge qui ne les protégerait pas de la peur…

Le vaste hall d'entrée était désert. Seules les coupes et la bouteille de champagne attestaient que les scènes qu'ils avaient vécues précédemment ne faisaient pas partie d'un mauvais rêve.

Le sphinx, imperturbable, trônait toujours sur son socle, comme s'il était à l'affût.

Le canapé était trop petit pour qu'ils puissent y allonger Bernard Smythe. Christian traversa donc le hall et partit à la recherche d'un escalier conduisant au premier étage.

Elizabeth s'affala dans un fauteuil.

– Maman, dit Ramsès, est-ce que Radcliffe va tous nous tuer ?

– Non… bien sûr que non… La mort de son père l'a beaucoup perturbé. Il a cherché à nous effrayer. Et il a réussi ! Mon Dieu, comment ai-je pu vous entraîner dans cette aventure ?

– Tu sais, la rassura Isis, ce mannequin n'était pas si terrible, après tout. Il était très ressemblant, mais on voyait bien qu'il n'était pas vrai.

Elizabeth paraissait soucieuse. Ramsès voulut profiter de la situation :

– Cette vieille fille d'Agatha a été horrible avec toi !

– Tu as fais exprès de la pousser, dis-le !

Ramsès hésita à répondre. Il fixa ses pieds et hocha la tête. Elizabeth l'attira à elle :

– Il ne faut plus recommencer. Cette situation nous rend tous nerveux. Mais ne vous en faites pas, nous ne resterons pas longtemps ici.

Ramsès et Isis n'étaient pas dupes. Leur mère voulait les réconforter avec de belles paroles. Seulement, ils savaient qu'ils ne pouvaient pas s'échapper du manoir, à moins qu'Elizabeth soit capable de construire un pont sur une rivière en crue !

— C'est vrai, ce qu'a affirmé Agatha ? demanda Ramsès.
— Quoi ?
— Que tu as gardé des dossiers sur le vol du trésor du pharaon ?
— Oui. Je possède bien des dossiers. Mais je ne les ai pas communiqués au fils Radcliffe. Jamais je n'aurais fait une chose pareille !
— Alors ce sont des voleuses, toutes les deux ? intervint Isis.

Elizabeth garda le silence. Sa fille insista :
— J'ai écouté ce que disait Bernard Smythe quand Christian le transportait. Il prétendait que les accusations d'Alan sont véridiques. Il s'est disputé avec son frère à cause de ça. Ils auraient vraiment dérobé les travaux du professeur !
— Ces histoires ne vous concernent pas ! C'est du passé ! répliqua leur mère avec une soudaine violence.

Isis et Ramsès reculèrent, surpris par ce changement de ton. Elizabeth passa une main dans ses cheveux.
— Excusez-moi. Je suis à bout de nerfs. Nous sommes trempés. Nous ne pouvons pas rester ainsi. Heureusement, nous avons apporté d'autres vêtements. Nos sacs sont restés dans l'entrée. Allons les chercher. Nous trouverons un endroit pour nous changer.

Les jumeaux préférèrent ne plus poser de questions. Christian Mertz n'était toujours pas redescendu. Où étaient passés les autres invités ? Nancy Buckingham avait-elle affronté le déluge malgré ses talons hauts ? Et Mallowan avait-il retrouvé Miss Bliss ? Et où était le second professeur Smythe ? L'un d'entre eux avait-il tenté de traverser la rivière à la nage ?

Elizabeth passa devant. Ils contournèrent le sphinx et découvrirent un large escalier en marbre qui montait à l'étage.

Les chambres étaient bien situées en haut. Elizabeth ouvrit une porte au hasard et tomba sur Nancy Buckingham qui pleurait, allongée sur son lit :

– Oh ! Tu es là. J'avais si peur d'être toute seule avec Radcliffe. Je n'ai pas trouvé de bottes. Je préférais attendre que la pluie se calme. Vous avez découvert un chemin qui mène au village ?

– Non.

– Alors on est bloqués dans ce maudit château ?

– Oui.

Nancy tordait ses mains aux longs ongles rouges. Son maquillage avait coulé et sa coiffure était en désordre. Elle se leva.

– Je viens avec vous. Je ne veux pas rester une minute de plus dans cette affreuse pièce. Je crains tellement que Radcliffe entre et me fasse du mal.

– Tu avais l'air plus fière tout à l'heure ! répliqua Elizabeth. À propos, Agatha a avoué.

– Qu'est-ce que tu veux dire ?

– Simplement que les accusations de Radcliffe concernant le vol des bijoux de la tombe sont vraies.

Nancy poussa un cri :

– Tu es une belle garce ! Agatha m'avait pourtant prévenue !

Avant d'en entendre plus, Elizabeth claqua la porte sur la face haineuse de Nancy.

11

Christian Mertz frappa à la chambre des Peters. Il demanda à Elizabeth de l'accompagner pour chercher les autres invités dans la résidence.

– Les enfants, restez ici et fermez à clé derrière nous, recommanda-t-elle. Nous ne serons pas longs.

Isis et Ramsès se retrouvèrent donc seuls dans cette pièce immense. Le papier peint ressemblait à du vieux parchemin. Un lampadaire soutenu par une statue égyptienne diffusait une lumière jaunâtre. Deux lits à deux places étaient disposés de chaque côté d'une table de nuit de style Empire. Le conduit d'une imposante cheminée, elle aussi ornée d'hiéroglyphes, laissait passer le souffle lugubre du vent. Des papyrus encadrés trônaient sur les murs. Sur la commode s'alignaient des petites bouteilles contenant du sable. Sur chacune était collée une étiquette comportant une inscription tracée d'une écriture vieillotte. Ramsès commença à les lire à haute voix :

– Gizeh, Esneh, El-Kasr, Kom-Ombo, Keneh, Kous,

Karnak, Tahtah. Dis donc, Isis, toute l'Égypte est en flacons !

— Qu'est-ce qu'on va faire ?

Ramsès vint s'asseoir à côté de sa sœur. Ses doigts jouèrent avec les franges du dessus-de-lit.

— Je ne sais pas. On va attendre.

— J'ai eu un peu peur, avoua Isis. C'était un mannequin, mais ça faisait une drôle d'impression.

— Je suis d'accord avec toi.

— Ramsès, tu sais ce qui m'effraie le plus ? C'est que tout le monde ici semble connaître le secret de notre naissance. Maman a toujours dit que notre père avait succombé à une maladie, en Égypte. Et qui est la seule personne de l'équipe qui soit morte pendant les fouilles ?

Ramsès eut un frisson. Il n'osa pas répondre. Les jumeaux échangèrent un regard anxieux.

Le professeur Radcliffe pouvait-il être leur père ?

12

Elizabeth frappa à la porte. Ramsès et Isis lui ouvrirent et constatèrent qu'elle avait les joues rouges. Christian Mertz se tenait derrière elle. En un geste très protecteur, il lui serrait la taille. Elizabeth venait-elle de renouer avec un vieil amour qui datait de dix ans ?

– Venez, les enfants, dit-elle. Nous allons rejoindre les autres dans le hall.

Sans rien dire, Ramsès et Isis passèrent devant le couple et se dirigèrent vers l'escalier qui menait dans le hall.

Isis s'immobilisa. En bas, devant le sphinx, elle venait d'apercevoir le docteur Jack Mallowan concentré sur une mystérieux travail. Les jumeaux commencèrent à descendre. Mallowan releva la tête en entendant leurs pas. Il enfonça un objet dans sa poche et prit place dans un fauteuil.

Que venait-il de faire ? Isis n'allait pas tarder à le découvrir…

Les invités étaient tous là.

La boîte numéro 1, qui contenait le crâne du mannequin, avait finalement été transportée dans le cagibi
par le docteur Mallowan. Alan Radcliffe n'avait pas
reparu.

Nancy, Agatha et Bernard Smythe paraissaient pros-
trés près de la vitrine aux poignards. Mallowan sortit
quelques pilules de vitamines de sa mallette de médecin et les distribua. Paul Smythe hurlait :

— Je ne sais pas ce que mijote Radcliffe, mais j'ai
l'impression qu'il veut nous rendre fous.

Christian Mertz l'interrompit :

— Il nous l'a dit. Il compte démasquer l'assassin de son
père.

— Il n'y a jamais eu d'assassinat ! C'est lui le monstre !
Il nous a obligés à voir ce maudit mannequin ! rugit
Agatha. Il nous a parlé d'Osiris découpé ! Et des crues
du Nil ! Il préparait son plan depuis longtemps.

— En tout cas, reprit Christian, des fautes graves ont
été commises lors de cette expédition, et Alan l'a
appris.

Elizabeth leva les mains :

— Calmons-nous et essayons de réfléchir. Pourquoi le
professeur Radcliffe a-t-il profité de cette pause sur
le chantier pour aller seul dans la fosse la plus pro-
fonde ? Voilà la véritable question…

— L'enquête est close. C'était un accident, intervint
Nancy.

— Eh bien, je vais vous dire la vérité, lança Bernard
Smythe en se redressant avec difficulté.

– Ne dis rien ! lui ordonna son frère.

– Et pourquoi ? Alors que ce fou nous menace ? Tu crois peut-être que je vais accepter sans réagir qu'on nous traîne dans la boue ? Je sais pourquoi le professeur Radcliffe est allé dans la fosse. Dans la matinée, il avait découvert les premières traces du trésor, et il ne voulait pas que les ouvriers et les membres de l'équipe s'en aperçoivent. Il a décrété qu'il était temps de faire la pause et il en a profité pour redescendre et creuser seul. Il avait décidé de s'emparer de sa découverte, de la cacher et de la vendre au plus offrant... Radcliffe était un voleur !

Un concert de murmures accueillit cette accusation. Agatha et Nancy échangèrent un rapide coup d'œil.

Ramsès et Isis étaient debout près du sphinx, encore sous le choc des réflexions qui les avaient assaillis dans leur chambre. Leur naissance aussi faisait l'objet d'un secret ! Et leur mère, malgré ses promesses, ne semblait pas disposée à le leur révéler.

Isis s'appuya contre le socle du sphinx. Ramsès lui chuchota :

– Le professeur a voulu garder son trésor pour lui tout seul. Ce n'est pas un hasard si la terre s'est écroulée sur lui ! Il était seul et l'un des membres de l'expédition a choisi ce moment pour le supprimer. Il a enlevé des poutres de soutien, et... badaboum !

– Tu ne crois quand même pas que maman fait partie des suspects ? souffla Isis.

Ramsès préféra ne pas répondre.

Isis fronça le nez. Une odeur bizarre flottait autour

de la statue. C'était un parfum qui lui rappela celui des produits de maquillage… Elle regarda la patte gauche du sphinx et remarqua que l'une des griffes était peinte en rouge.

Quelqu'un avait utilisé du vernis à ongles pour réaliser cette étrange décoration ! Que signifiait donc ce barbouillage ?

Les adultes étaient en train de s'entre-déchirer. Les accusations fusaient de toutes parts.

— Regardez ! cria Isis assez fort pour couvrir les clameurs de l'assistance. Une griffe du sphinx est rouge !

Ils se tournèrent tous vers la statue.

— Qui a fait cela ? demanda Christian Mertz.

— Ce n'est pas la peine de chercher bien loin, répliqua Paul Smythe en désignant Nancy Buckingham. Elle s'est verni les ongles pendant que nous tentions de fuir sous la pluie. Elle a dû essayer la teinte sur la pierre.

— J'avais autre chose à faire qu'à me vernir les ongles, espèce de vieil imbécile ! Pourquoi m'accusez-vous toujours ?

Isis observa le docteur Mallowan assis bien droit près de sa mallette. Juste derrière lui, les lames des poignards luisaient sur le velours noir de la vitrine.

« C'est lui ! pensa-t-elle. Je l'ai vu du haut de l'escalier. Pourquoi n'avoue-t-il pas ? »

13

Isis ouvrit la bouche, mais le docteur la fixa, les pupilles dilatées. Elle y lut une telle méchanceté que son sang se figea. Aucune parole ne put franchir ses lèvres. Il savait qu'elle avait été témoin de son mystérieux geste, mais Isis n'avait pas intérêt à le dénoncer, c'était clair !

Les invités se levaient, s'apostrophaient. Isis recula, comme si elle voulait se confondre avec la pierre du sphinx. Ramsès la dévisagea :

– Qu'est-ce que tu as ?

– Rien… rien…

– On dirait que tu viens de voir un fantôme ?

Il suivit son regard et aperçut le visage blême de Mallowan.

Celui-ci bondit sur ses pieds.

– Cette situation ne peut plus durer ! s'écria-t-il. Nous n'allons quand même pas attendre sagement le bon vouloir d'un dément, coincés dans son château et sans lien possible avec l'extérieur !

Impressionnés par son ton, les autres s'interrompirent. C'était la première fois que le docteur s'imposait aux invités avec une telle autorité.

– Je sais où se trouve la chambre d'Alan, reprit-il. Nous allons tous y aller pour exiger des explications.

– Il faut crever l'abcès, ajouta Agatha Bliss.

Ils montèrent l'escalier tous ensemble. Leurs mains tremblantes glissaient sur la rampe de fer forgé. Les jumeaux suivirent les adultes :

– C'est lui, c'est le docteur ! souffla Isis à son frère. On descendait quand je l'ai vu vernir la griffe. Il était penché sur une patte du sphinx !

– Mais pourquoi ? C'est complètement idiot, nota Ramsès.

Il haussa les épaules. Isis tenta de le retenir en arrière et lui chuchota à l'oreille :

– Je l'ai vu, je t'assure, Ramsès ! Mallowan doit être fou, lui aussi. Il propose d'aller chercher Radcliffe pour détourner l'attention. Il ne voulait surtout pas que je dise aux autres que je l'avais surpris.

– C'est toi qui deviens folle, Isis, répondit son frère d'un ton méprisant. Mallowan ne va pas perdre son temps à des bêtises pareilles.

– Ce ne sont pas des bêtises ! Ça veut sûrement dire quelque chose.

Isis était vexée. Les deux Smythe, Bernard et Paul, l'empêchaient de voir le reste du groupe. Mais elle percevait la voix grave de Christian Mertz et les remarques mielleuses de Nancy Buckingham :

– J'espère que tu vas lui administrer une autre correction ! C'est tout ce qu'il mérite, Christian chéri. C'est à toi de prendre le contrôle de la situation. Radcliffe a peur de toi !

– D'ailleurs, ajouta Agatha, il possède peut-être une ligne téléphonique. On pourrait joindre des secours ?

– Personne ne parviendra à traverser la rivière, fit remarquer Elizabeth Peters. Écoutez, il pleut encore !

Ramsès intervint :

– Ils nous enverront un hélicoptère, Maman ! Ils nous tireront par un filin et…

– C'est ici.

Mallowan avait fait taire l'assistance.

Les convives s'étaient immobilisés devant une porte de chêne, noircie par les ans. Un palmier planté dans une jarre en terre vernissée et la peau tannée d'un lion constituaient le décor du palier. Bernard Smythe frappa, puis Christian Mertz et le docteur Mallowan. Nancy se déchaîna :

– Alan, ouvrez ! Nous exigeons des explications ! Vous nous avez mis dans une situation intenable. Ouvrez, ou je hurle !

– Tu hurles déjà, nota Christian. Il va falloir enfoncer la porte !

Le groupe retint sa respiration et recula. Christian et Mallowan prenaient déjà leur élan quand Elizabeth tourna la poignée et… poussa la porte !

Dans la chambre, les rideaux étaient tirés. Toutes les lampes étaient allumées. Un grand lit à baldaquin occupait la partie droite. À l'opposé, une bibliothèque, un bureau et deux fauteuils entouraient une statue d'Horus, le dieu à tête de faucon. Des antiquités égyptiennes s'étalaient sur les meubles et sur les murs. Mais une forme attira immédiatement leur attention : c'était un corps étendu au milieu de la pièce.

– Ne le touchez pas ! lança Mallowan.

Le docteur fut le seul à s'avancer. Christian Mertz étendit les bras afin d'arrêter les autres, qui se trouvaient sur le palier :

– C'est un meurtre ! s'exclama-t-il. Il ne manquait plus que ça. Personne ne doit entrer avant la police pour ne pas détruire des indices.

D'où ils étaient, Isis et Ramsès voyaient le manche du poignard qui dépassait du dos de Radcliffe. Une de ses mains chargées de bagues reposait sur le plancher. L'autre était dissimulée sous le corps. La face de la victime était tournée vers la fenêtre.

– Ce n'est pas un spectacle pour vous, dit Elizabeth en s'interposant entre la scène et ses enfants. Reculez.

Isis et Ramsès obéirent, mais ils purent entendre le docteur Mallowan annoncer :

– Il n'y a plus rien à faire. Son corps est encore chaud. On l'a tué il y a peu de temps.

Nancy et Agatha poussèrent un cri d'horreur. Les Smythe s'appuyèrent au panneau de la porte ouverte. Christian Mertz rejoignit le docteur.

– N'avancez pas ! ordonna Mallowan. Il va y avoir une enquête et…

– Une enquête ? Vous rigolez ! Le temps que la police arrive jusqu'ici, nous devrons vivre avec ce mort !

Bernard Smythe fit un pas de côté, dégageant la vue des jumeaux. Christian se tenait à trois mètres. Il fixait le cadavre :

– D'accord, Mallowan, il y a le poignard. Mais quelles sont ces blessures sur la joue de Radcliffe ?

Mallowan se releva, sa lèvre inférieure tremblait :

– Ce sont des griffures. Cinq grandes griffures.

14

Dès que tout le monde fut redescendu, Ramsès désigna la vitrine contenant les poignards égyptiens :
– Il doit en manquer un ! J'ai reconnu le manche. C'est avec l'un d'eux qu'on a frappé Radcliffe.
Isis les avait déjà comptés. Il en restait neuf sur le velours noir. Christian Mertz poussa un cri :
– Ne touchez pas le verre à cause des empreintes !
Il s'approcha et constata que le meuble ne comportait pas de serrure. N'importe qui pouvait y avoir accès.
– S'il te plaît, lui dit Elizabeth. Prends ces couteaux et va les jeter dans la rivière !
– À quoi ça servira ?
– À éviter d'autres meurtres !
– Ma pauvre Elizabeth, lança Agatha Bliss. Ces poignards sont des pièces de musée ! Nous n'avons qu'à prendre notre mal en patience et attendre les secours. Tu as fermé la porte de sa chambre, Jack ?
Le docteur Mallowan acquiesça indiquant la poche dans laquelle il venait de glisser la clé.

– De toute façon, Alan Radcliffe sera la seule et unique victime, affirma Agatha.

Bernard Smythe se laissa tomber dans un fauteuil :

– Vous avez l'air très sûre de vous, Miss Bliss !

– Et pourquoi ne le serais-je pas ? Radcliffe l'a bien cherché !

– Seriez-vous l'assassin, par hasard ?

Agatha se figea à la question de Bernard Smythe :

– Non… Bien sûr que non… Ce n'est pas moi.

– Alors si ce n'est pas vous, c'est un autre invité ! Rappelez-vous que personne ne peut venir de l'extérieur ! L'assassin de Radcliffe est donc parmi nous.

– Alan Radcliffe était un sale type, déclara Isis. Il voulait se venger des anciens membres de l'équipe, mais il n'avait pas prévu que le vrai coupable réagirait ainsi. Il a été poignardé très vite !

Ramsès se tenait debout dans leur chambre, devant la collection de flacons de sables égyptiens :

– C'est la première fois que je vois un mort…

– Moi aussi…

Leur mère les avait enfermés le temps d'aller dénicher de la nourriture au rez-de-chaussée. Il commençait à faire nuit. La pluie tombait toujours aussi drue. Elle crépitait contre les carreaux et descendait en cascade dans les gouttières. La lumière enveloppait la statue qui tenait la lampe. Isis, étendue sur l'un des grands lits, contemplait la frise qui courait autour du plafond.

– Le professeur Smythe a raison. Le meurtrier est parmi nous ! affirma Isis.

— Ce n'est pas maman !

— Mais non, Ramsès. Nous sommes toujours restés avec elle !

Ils n'osèrent pas se regarder, car ce n'était pas vrai. Ils avaient été seuls dans cette pièce lorsque Elizabeth s'était absentée avec Christian Mertz. En avaient-ils profité tous les deux pour régler de vieux comptes avec Radcliffe ? Christian Mertz était impulsif. Elizabeth avait peut-être tenté de le retenir, mais…

Ramsès saisit une bouteille et la fit tourner entre ses doigts :

— Ce n'est ni maman ni Christian, insista-t-il.

— Tu aimes bien Christian, n'est-ce pas ?

Ramsès reposa la fiole :

— Il est sympa. Avec lui, je me sens en confiance, et je crois que maman l'aime bien aussi. Tu as vu lorsqu'il avait son bras autour de sa taille ? Mais Nancy louche aussi sur lui !

— Elle est restée toute seule dans le manoir encore plus longtemps que les autres. Et Radcliffe l'a accusée d'être une voleuse, murmura Isis. Elle a très bien pu faire le coup.

— Comme les deux professeurs ou Agatha Bliss ! Tu as raison. Chacun d'eux a pu poignarder Radcliffe. Ils ont même pu s'associer.

— S'associer ?

— Il n'y a peut-être pas un meurtrier, mais deux ! Les Smythe par exemple. Ou bien Agatha et Nancy. Ou encore Mallowan avec l'une des deux, ou… Christian.

À cet instant, quelqu'un déverrouilla la serrure.

Elizabeth entra en portant un plateau. Elle était très pâle.

– Nous avons découvert une vraie réserve de provisions dans une annexe de la cuisine. Mangez, il faut prendre des forces, les encouragea-t-elle.

Il y avait du poulet froid, des chips, des fruits, des yaourts et une grosse part de fromage. Isis et Ramsès s'aperçurent à cet instant qu'ils mouraient de faim. Ils débarrassèrent la surface d'un bureau et s'installèrent pour prendre leur repas improvisé.

Elizabeth ne put rien avaler. Elle quitta la table et s'allongea sur un lit, les yeux rivés au plafond, comme l'avait fait sa fille. Isis la rejoignit :

– Maman. Je… je crois savoir qui a tué Radcliffe, bégaya-t-elle.

15

Elizabeth ferma les paupières, fatiguée :
– Je t'en prie, Isis. Ce n'est pas le moment. Finis de manger et laisse-moi me reposer. J'ai tellement l'impression de revenir en arrière, pendant l'enquête qui a suivi la mort du professeur Radcliffe, là-bas en Égypte. Nous nous suspections tous. C'était horrible !
– Vous disiez que c'était un accident ! s'exclama Ramsès depuis sa place.
– Les poutres qui soutenaient les parois de la fosse étaient agencées n'importe comment. Tout le monde sur le chantier savait qu'un bon coup de pelle à un endroit précis pouvait provoquer un éboulement. Les autorités ont tenté de trouver un coupable, mais elles n'ont pas réuni assez de preuves. Je regrette tant d'être venue avec vous ici ! Je… je crois bien qu'Alan Radcliffe voulait provoquer l'assassin. Ce dernier s'est cru découvert et il a paniqué. Au lieu d'avouer, il a profité de l'inondation et de la peur qui s'était emparée de nous tous pour frapper une nouvelle fois.

Ramsès quitta la table pour rejoindre Elizabeth et Isis sur le lit. Des larmes brillaient dans les yeux de sa mère. Elizabeth semblait à bout de forces. Ramsès fut tenté de lui demander des explications au sujet de leur naissance. Le professeur Radcliffe était-il leur père ? À cette pensée, sa gorge se serra et il fut incapable de parler.

Isis tenait à son idée. Elle insista :

– Je sais qui a poignardé Radcliffe parce que je l'ai surpris en train de peindre la griffe du sphinx !

– Qu'est-ce que tu racontes ? réagit Elizabeth en se soulevant sur un coude.

– Quand nous sommes descendus dans le hall, j'ai vu le docteur Mallowan s'éloigner de la statue et enfoncer rapidement quelque chose dans sa poche. Je suis certaine que c'était un flacon de vernis rouge !

– C'est impossible ! Lui ? Mais pourquoi aurait-il fait cela ?

– Tu ne comprends pas, Maman ! Quand j'ai découvert le vernis et que j'ai voulu vous le dire, il m'en a empêchée en prétextant qu'il fallait aller trouver Radcliffe. Il voulait détourner l'attention !

– Mais… mais…, bredouilla Elizabeth.

Tout s'éclairait dans l'esprit d'Isis. Ramsès comprit, lui aussi :

– Isis a raison, Maman, c'est un signe. Un signe de mort, comme la marque sur la joue d'Alan ! Et le docteur Mallowan a peint cette griffe parce qu'il savait que Radcliffe était *déjà* mort !

16

— Tu vas me répéter ce que tu viens de raconter à ta mère, dit Christian Mertz.

Elizabeth était allée le chercher pour qu'il écoute les déductions de sa fille.

Il s'était assis sur le lit. Ses yeux noirs et profonds scrutaient ceux d'Isis. Elle en avait les mains moites. Elle reprit tout depuis le début...

Pendant ce temps, Elizabeth pensait au château qui ressemblait maintenant à un tombeau. Seul le crépitement de la pluie troublait le silence mortel. Les invités s'étaient enfermés dans des pièces différentes. Que devenait le cadavre de Radcliffe ? Combien de temps allaient-ils rester bloqués ici ? Elle avait été étonnée de l'attitude du docteur Mallowan. Les révélations d'Isis le mettaient désormais au rang de suspect numéro 1.

La jeune fille acheva son récit. Christian se tourna vers Elizabeth :

— Mallowan s'est joint à l'équipe Radcliffe il y a

dix ans pour étudier les maladies tropicales. Tu te rappelles comme il a craqué à cause du rythme de travail ? Et le professeur Radcliffe refusait de le laisser rentrer…

— Ce n'est pas un motif suffisant pour tuer le professeur, puis son fils, des années plus tard ! protesta Elizabeth.

Christian Mertz fronça les sourcils.

— Tu as bien fait d'en parler, dit-il à Isis. Tu pourrais être en danger dans les heures qui viennent.

Elizabeth tressaillit :

— Tu veux dire que… ?

— On ne sait pas ce qui peut passer par la tête d'un assassin. La meilleure chose à faire est d'aller voir le docteur. Il ne faut pas le laisser libre de ses mouvements s'il est coupable. Il pourrait être très dangereux.

Isis frissonna. Elizabeth lui prit la main. Ramsès se taisait. « Christian a l'âme d'un chef, pensa-t-il. Avec lui, on se sent rassuré. Il dégage une force incroyable. » L'homme se mit debout.

— Vous allez tous venir avec moi. Je ne vais pas appeler les Smythe, ni Agatha et Nancy. Ils nous mettraient des bâtons dans les roues ! Isis, tu répéteras tranquillement à Mallowan ce que tu viens de me raconter, et nous lui demanderons des explications.

Ils sortirent tous les quatre dans le couloir. Une vague lueur verte filtrait de plusieurs appliques posées à intervalles réguliers sur les murs. Un bas-relief égyptien luisait dans l'ombre. Un pharaon y conduisait un char. En bruit de fond, on entendait toujours la pluie tambouriner.

Ils avaient l'impression de revivre la scène qui avait précédé la terrible découverte du corps d'Alan Radcliffe. Mallowan logeait sur le même palier orné du palmier et…

Ramsès sursauta.

— Regardez ! souffla-t-il en désignant le mur nu.

— Quoi ? demanda Christian. Je ne vois rien !

— Justement, il n'y a plus rien ! Tout à l'heure, ce mur était décoré d'une peau de lion !

La peau avait disparu !

Personne ne répondit au coup frappé par Christian Mertz. Il se souvint du geste d'Elizabeth, devant la porte de Radcliffe. Il saisit la poignée et… ouvrit sans problème !

Mertz fit un pas à l'intérieur. Il ne savait pas à quoi s'attendre. Mallowan était peut-être devenu enragé. Dans ce cas, il était capable de se cacher derrière un meuble, de surgir et de lui sauter dessus en brandissant un des poignards de la vitrine du hall. Christian contracta ses muscles, prêt à se défendre.

Mais il n'y avait personne.

Où était Mallowan ? Dans le manoir, à la recherche d'une nouvelle victime ? Christian fit signe à Elizabeth d'avancer avec ses enfants. Il voulait inspecter les lieux plus attentivement et s'inquiétait de les sentir seuls dans le corridor. Le docteur pouvait très bien les surprendre par-derrière.

Elizabeth referma la porte sur eux. Isis et Ramsès s'imprégnaient du décor. Comme dans toutes les salles du château, des panneaux de boiserie avaient été peints dans un jaune très doux. Une frise représentant des feuilles de papyrus courait autour du plafond.

Christian appuya sur l'interrupteur. La lumière jaillit du grand lustre qui pendait au centre de la pièce. Ils aperçurent aussitôt sur le sol des traces qui partaient en diagonale vers une bibliothèque.

– Restez-là ! Ne bougez pas ! ordonna Christian. Qu'est-ce que c'est que… ?

De longs poils noirs traînaient dans du sang. Ramsès devina aussitôt qu'ils appartenaient à un fauve. Christian contourna le lit.

Mallowan était tombé de l'autre côté, le visage figé dans une horrible grimace. Il avait été poignardé dans le dos.

– Lui aussi ! dit Christian dans un souffle avant de s'agenouiller et de toucher le corps.

Il était encore chaud, comme celui d'Alan Radcliffe.

Mertz se redressa d'un bond et recula.

Il venait d'apercevoir la main droite de Mallowan.

Cinq griffures sanglantes en zébraient la peau !

17

Essoufflée, Agatha Bliss se laissa tomber sur le lit.
Elle enleva ses lunettes et essuya son front couvert
de sueur.
Elle regarda avec satisfaction la porte de sa chambre.
Elle n'avait pas confiance dans les serrures. Des
doubles de clés pouvaient traîner dans le manoir. Il en
fallait plus pour la protéger. C'est pour cette raison
qu'elle s'était acharnée à déplacer une lourde commode
victorienne devant sa porte.
Agatha soupira. Alan Radcliffe avait été éliminé par
l'un des invités. Elle-même avait assuré devant les
autres que ce serait l'unique meurtre. Mais elle n'en
était pas certaine.
Seule dans cette pièce étrangère, elle n'avait plus
confiance en personne. Qu'avait-elle eu besoin de se
mettre dans cette situation, tout ça pour récolter
quelques objets supplémentaires ? Elle regretta son
bureau de conservateur en chef, ses dossiers, les vi-
trines du Musée pharaonique de Cambridge.

Son cœur battait précipitamment. Elle saisit son sac, farfouilla dans le fond et en sortit un écrin qu'elle ouvrit lentement. À l'intérieur brilla une broche en or, sertie d'agates et de lapis-lazuli. Ce merveilleux travail datait du Nouvel Empire. Mille années avant Jésus Christ, pour être précis. Un orfèvre avait ciselé ce bijou à la demande d'un pharaon ou d'une princesse. Captivée par la magie du joyau, Agatha Bliss le leva devant ses yeux de myope.

Cette merveille inestimable, et d'autres qu'elle gardait chez elle, provenait du tombeau découvert par le professeur Radcliffe. Elle se souvint. Dix ans auparavant, Bernard Smythe les avait prévenues, Nancy et elle, que Radcliffe venait de mettre la main sur une fortune. Le jour fatidique, quand le drame avait eu lieu et que les ouvriers déterrèrent le cadavre, Nancy, Agatha et les deux Smythe n'avaient rien dit. Quelques heures plus tard, à eux quatre, ils avaient extirpé le trésor et s'étaient partagé le butin.

Les Smythe s'étaient peu approprié d'objets, car ils avaient une autre ambition. Subtiliser les notes et les rapports de Radcliffe pour recueillir toute la gloire de l'expédition. Nancy Buckingham et Agatha Bliss, les deux étudiantes arrivistes, s'étaient taillé la part du lion !

En entendant les accusations d'Alan Radcliffe, Agatha avait cru mourir. Mais il n'avait aucune preuve. Il ne savait rien. Il avait juste voulu leur faire peur !

Elle soupira et rangea la broche dans son écrin. Elle n'avait pas fait écrouler la galerie sur le professeur Radcliffe. Peut-être était-ce l'un des sept autres ? Peut-être étaient-ils innocents eux aussi ? C'était peut-être vraiment un accident ?

« Je m'en moque, pensa Agatha Bliss. Ce n'est pas mon affaire. En dix ans, j'ai gagné mes galons de conservateur. L'affaire Radcliffe, c'est du passé. »

Elle se coucha et ferma les yeux. Il fallait patienter, attendre que la pluie cesse de tomber, que la rivière se calme, que les secours viennent enfin… Elle partirait immédiatement. Le groupe maudit se séparerait à tout jamais. Et adieu, le sinistre manoir !

Pendant quelques minutes, alors qu'elle sentait son corps flotter entre la conscience et le sommeil, elle se demanda ce que faisaient les autres.

Et surtout celui ou celle qui avait osé assassiner Radcliffe.

Agatha se réveilla brusquement. Combien de temps s'était-elle assoupie ? Elle n'aurait pu dire si c'était deux secondes ou deux heures. Une odeur inhabituelle flottait dans la chambre. De vieux parfums de plantes, des relents de sueur. Un frottement attira son attention. Elle se dressa sur son lit. Où étaient ses lunettes ? Sans elles, elle ne voyait presque rien. Sa main tâta en vain les couvertures. Elle respirait fort. L'angoisse l'envahissait tout entière.

Un glissement la fit frissonner.

« Quelqu'un est entré dans ma chambre ! » pensa-t-elle. Une énorme boule noua son estomac. Elle se leva, plissant les paupières pour distinguer les contours des meubles.

La commode n'avait pas bougé de devant la porte. Mais alors ?…

Une forme se tenait au centre de la pièce, plus noire que l'ombre, immobile. Agatha Bliss retomba assise sur le matelas :

– Qui… qui êtes-vous ?

La silhouette avança dans un mince filet de lumière projeté par la lune. Agatha devina un contour fantastique, avec une tête coiffée d'un tissu, à la façon des Égyptiens de l'Antiquité. Le personnage était debout, flou, et une queue traînait sur le sol. C'était cette queue glissant sur le parquet qui avait réveillé Agatha. Muette d'horreur, celle-ci recula et se plaqua contre le mur. Comment ce monstre était-il entré ?

– Je suis le Sphinx de la vengeance qui garde la tranquillité des morts, gronda une voix. Comme les autres, tu as trahi. Dix ans après, ton châtiment tombe… La mort !

Agatha Bliss tendit ses mains en avant :

– Non ! je vous rendrai tout ! Je vous en prie. Je n'ai presque rien fait.

Le macabre messager ricana et avança encore. Agatha plissa les yeux et vit à cet instant qu'elle avait affaire à un lion ! Une horrible peau de bête aux pattes griffues, qui se balançait mollement.

– Vous ne pouvez pas…, implora-t-elle.

Devant elle, un bras se leva dans la clarté de la lune. Un éclat brilla. Agatha comprit que c'était la lame d'un poignard.

18

– Les poignards ne sont plus là ! s'exclama Isis.
Elizabeth, Christian et Ramsès se précipitèrent vers la
vitrine. La porte en verre du meuble était ouverte sur
le velours chiffonné.
Les étagères étaient vides !
– Je le savais déjà, les renseigna quelqu'un derrière
eux. Je suis venue tout à l'heure et je m'en suis rendu compte. Qu'est-ce que ça veut dire ?
Nancy Buckingham dévalait l'escalier. Ses cheveux,
maintenant secs et bien brossés, plus dorés que jamais, retombaient en cascade autour de sa figure de
poupée. Sa poitrine comprimée dans une robe en
voile rose haletait doucement. Un collier de brillants
assorti à des boucles d'oreilles énormes étincelait dans
l'ombre. La bouche en cœur, elle se précipita vers
Mertz. Ses hauts talons claquaient sur le carrelage en
un rythme frénétique. Elle s'accrocha au bras de
Christian et toisa Elizabeth et ses enfants :
– Christian ! Tu n'es quand même pas marié à cette

journaliste à scandales ? Tu dois me protéger aussi.

– Il n'y a pas qu'Elizabeth. Il y a aussi Isis et Ramsès.

– Et moi ? Je ne compte pas pour toi ? Tu ne disais pas ça avant.

– Je t'en prie, ne ramène pas les vieilles histoires sur le tapis.

– En souvenir de cette époque, tu pourrais t'occuper un peu de moi.

Nancy adressa une grimace à une Elizabeth blanche de rage :

– Eh oui, ma chère, Christian et moi avons vécu une belle idylle !

– Je suis certaine que tu as dû en connaître beaucoup d'autres, rétorqua Elizabeth.

Ramsès et Isis aperçurent les frères Smythe qui descendaient à leur tour. Nancy ne lâchait pas Christian.

– La collection de poignards a disparu ! leur annonça-t-elle.

Bernard et Paul s'approchèrent. Ils paraissaient avoir vieilli de dix ans en quelques heures. La forme de leurs os se devinait sous la fine peau ridée de leurs figures.

– Ça n'est donc pas terminé, murmura Bernard.

– Tout est terminé, au contraire ! lança Nancy. Quelqu'un dont je ne veux pas savoir l'identité a tué Radcliffe, et c'est tout.

– Tu n'as jamais voulu voir les choses en face ! cria Christian en se libérant de Nancy. Tu ne penses qu'à toi.

Isis et Ramsès se demandèrent s'il allait parler du meurtre du docteur Mallowan. Mais il se tut.

Nancy écarquilla ses grands yeux bleus :

— Ces couteaux devaient être couverts d'empreintes. Ce sont juste des indices en moins. Nous n'avons pas à nous en faire.

Les Smythe approuvèrent en hochant la tête.

Tandis que les adultes échangeaient quelques mots, Ramsès contempla le sphinx. Intrigué, il s'avança et observa la patte gauche de la statue.

— Venez voir ! Il y a maintenant trois griffes peintes !

— Trois ? s'écria Elizabeth. Mais…

— Il y en avait une pour signaler la mort d'Alan Radcliffe. La deuxième est pour…

— Isis ! l'interrompit Christian.

— Qu'est-ce que vous nous cachez ? Dites-nous immédiatement ce qui se passe ! ordonna Nancy.

Isis se mordit les lèvres. Christian échangea un regard avec Elizabeth. Puis il fixa la pointe de ses chaussures :

— Mallowan vient d'être assassiné dans sa chambre.

Les Smythe et Nancy pâlirent. L'un d'eux jouait-il une habile comédie ? Ramsès eut beau chercher sur leurs visages un signe de leur culpabilité, il ne remarqua rien.

— Ça devrait faire deux griffes, reprit Isis. Et là, il y en a trois !

Nancy bégaya :

— Où… où est Agatha ?

Il fallut défoncer la porte de la chambre d'Agatha et escalader la commode qui bloquait le passage. La vieille fille était étendue en travers de son lit, poignardée elle aussi. Ses lunettes écrasées gisaient sur le sol. Et la manche relevée de sa chemise de nuit découvrait un bras marqué de griffures.

19

Nancy s'était enfermée avec la famille Peters.

– On va tous y passer, gémit-elle. Il va tous nous tuer les uns après les autres…

– Qui, *il* ? l'interrompit Elizabeth.

– Mais je ne sais pas ! Le cinglé qui rôde dans ce château !

– C'est l'un de nous.

– Non ! Ne dis pas ça ! Ce n'est pas vrai !

– C'est la vérité. Les autres sont morts, tu comprends ? Assassinés ! Nous sommes bloqués. Personne ne peut entrer ni s'enfuir !

– C'est Bernard Smythe ! lança Nancy. Il est fou…

– Toi aussi, tu es folle.

– Je ne pourrais jamais faire une chose pareille.

Les deux femmes parlaient dans l'ombre, installées sur un lit. Isis et Ramsès occupaient l'autre. Trois meurtres ! L'hécatombe ne s'arrêtait donc pas…

– Qu'est-ce qu'ils font ? s'interrogea Nancy pour la millième fois.

Christian Mertz et les deux Smythe avaient décidé de fouiller le manoir. Ils s'étaient armés de couteaux de cuisine.

Isis réfléchissait. Personne n'avait accordé la moindre importance à la commode qui bloquait *de l'intérieur* la chambre d'Agatha Bliss. Comment son assassin avait-il pu entrer ? S'agissait-il d'un magicien ? Passait-il par les fenêtres ou les cheminées ?

Les cheminées !

Isis sentit qu'elle tenait là une idée à laquelle personne n'avait pensé. Ces cheminées figuraient dans toutes les pièces de la grande bâtisse. Il fallait vérifier tout de suite.

Elle se leva. Ramsès l'imita. Elizabeth et Nancy ne s'occupaient pas d'eux. Isis se dirigea vers l'âtre impressionnant, suivie par son frère.

Les hiéroglyphes qui y étaient sculptés lui semblèrent menaçants.

— L'assassin pourrait passer par là, souffla Isis en se tordant le cou pour inspecter l'intérieur obscur.

— En tout cas, nous n'avons rien à craindre, répliqua Ramsès. La cheminée est condamnée.

Isis leva la main et toucha le conduit pour vérifier si son frère avait raison.

Il était muré.

À cet instant, les hommes frappèrent à la porte.

— Vous voilà ! cria Nancy. Alors ?

— Rien, répondit Christian Mertz en entrant. Mais au sous-sol nous avons découvert un endroit soigneusement fermé. Nous n'avons pas pu entrer.

— Bernard pense que… qu'il doit s'agir de…, bafouilla Paul Smythe. La crypte que Radcliffe avait fait aménager en tombeau égyptien. C'est là que doit se trouver le… la momie…, enfin, la dépouille du professeur Radcliffe.

— Il faudrait y entrer ! lança Elizabeth. L'explication est peut-être là !

— Quelle explication ? demanda Bernard.

Ils remarquèrent tous qu'il agrippait l'épaule de son frère. Il continua :

— La solution est simple. Je sais que Paul et moi sommes innocents. Il n'y a personne d'autre dans cette maudite propriété. Nous venons de l'inspecter de fond en comble. Le coupable est forcément l'un de vous !

Christian se retint pour ne pas sauter sur Bernard Smythe :

— Je trouve vos déductions un peu hâtives, mon vieux.

— Je ne suis pas votre vieux ! Vous avez peut-être plus à vous reprocher qu'une banale histoire d'amour, Mertz. Vous avez la force nécessaire pour commettre des meurtres et vous avez certainement intérêt à ce que nous disparaissions tous.

— Je n'ai aucun intérêt à faire disparaître une bande de voleurs comme vous.

— Nous devons rester ensemble ! s'exclama Nancy, énervée.

— Il n'en est pas question. Au contraire ! Si nous voulons sauver notre peau, Paul et moi devons nous éloigner au maximum de Mertz et de vous deux !

– Vous avez pourtant accompagné Christian dans tout le château ? fit remarquer Elizabeth avec un sourire narquois. S'il était le coupable, comme vous le prétendez, il aurait pu vous tuer n'importe où !

– Nous étions deux, ma chère. Et nous avons toujours pris garde de l'encadrer. Quant à vous et à vos enfants, je ne donne pas cher de votre peau si vous vous placez sous la protection de ce type.

– Fichez le camp ! hurla Christian. Fichez le camp, ou vous prenez mon poing dans la figure !

Bernard et Paul Smythe ouvrirent la porte et disparurent dans le couloir.

Nancy était terrorisée.

– Qu'est-ce que vous allez me faire ?

20

– Nous n'allons rien te faire, Nancy, dit Elizabeth en haussant les épaules.

– Comment ? Ne me parle pas sur ce ton ! Je n'ai jamais aimé ta façon de me regarder, Elizabeth Peters !

– Tu crois que tout le monde t'en veut !

– Christian, tu ne vois pas que cette fille est dingue ! Depuis son amourette en Égypte, ça ne tourne plus rond dans sa tête.

– Tais-toi ! lui ordonna Elizabeth.

– Non, je ne me tairai pas.

– Mes enfants sont là.

– Je n'en ai rien à faire, de tes enfants ! Tu disais qu'ils devaient être au courant. Tu ne crois pas que c'est le moment ?

– Ce n'est pas à toi…

– Qu'est-ce que tu as à cacher ? J'ai peut-être fait des bêtises dans ma vie, mais je les assume. Je n'en ai pas honte, moi ! Je n'irais pas tuer les gens pour enterrer mon secret.

– Tais-toi ! répéta Elizabeth. Tu ne sais pas ce que tu racontes !

– Je le sais parfaitement ! Tu t'es dit que le moment était idéal pour faire disparaître tous les témoins de l'expédition.

Une gifle retentissante jeta Nancy Buckingham à terre. Elizabeth fixa sa main avec des yeux ronds.

– Arrête ! s'exclama Christian en saisissant le bras de la jeune femme.

Nancy se mit à quatre pattes et se releva en pleurnichant :

– Tu ne perds rien pour attendre, sale garce ! Je ne veux pas rester une minute de plus avec cette folle, Christian. Viens avec moi, ou elle te tuera aussi.

– Elle est innocente.

– Quel beau discours, monsieur le joli cœur ! Quant à vous, chers petits, apprenez donc que le professeur Radcliffe est votre père !

– NON !

Elizabeth se jeta sur Nancy et la renversa sur le lit en la frappant avec ses poings. Ramsès et Isis commencèrent à hurler. Christian se précipita pour séparer les deux furies.

– Va t'enfermer dans ta chambre ! cria-t-il à Nancy. Tu es mauvaise comme la peste !

Nancy tituba, la main appuyée sur sa joue.

– Je saigne, Christian ! Cette dingue m'a blessée. Regarde ! Elle m'a griffée !

21

Bernard Smythe avait repéré un petit cabinet de toilette attenant à la chambre qu'il partageait avec Paul.
Il y entra et découvrit une sorte de placard étroit qui sentait le moisi.

Il tourna le robinet d'eau chaude. Le tuyau émit des glouglou, puis pétarada pour ne projeter qu'un filet de liquide brun. D'un geste exaspéré, Bernard referma le robinet. Il ouvrit celui de l'eau froide. Il avait besoin de boire et de se rafraîchir.

Il se pencha pour s'asperger. Il lui semblait que tout son visage brûlait comme sous le soleil d'Égypte. Ses mains tremblaient.

Paul avait verrouillé leur porte avec soin. Il s'était ensuite écroulé dans un fauteuil et avait extirpé une cigarette d'un paquet chiffonné. De son côté, Bernard détestait le tabac. Mais Paul avait l'habitude de fumer quand les choses allaient mal.

Et en ce moment, bien sûr, il n'arrêtait pas !

La tuyauterie grondait comme le tonnerre. Et cette

maudite pluie ! Quand allait-elle cesser ? Bernard Smythe n'avait pas vécu si longtemps pour mourir comme un rat dans un château poussiéreux. Il allait se sortir de cette situation. Il enviait son frère plus calme et plus solide que lui. Paul pouvait montrer une telle volonté en cas de coups durs !

C'est lui qui avait dirigé les opérations après la mort du professeur Radcliffe. Grâce à lui, ils avaient obtenu ces postes à Oxford, l'une des plus prestigieuses universités britanniques. Ni Paul ni Bernard ne regrettaient leur mauvaise action. Le travail leur avait fait oublier combien ils avaient été lâches en Égypte.

Bernard ferma le robinet et l'eau cessa de couler. Le silence tomba sur lui comme un couperet. Il saisit une serviette, pendue à un crochet, et s'épongea la figure. Relevant les yeux, il se regarda dans la glace. C'est alors qu'il remarqua quelqu'un se déplaçant dans la pièce, derrière lui. Paul avait dû se lever pour écraser sa satanée cigarette n'importe où.

– Ouvre la fenêtre ! grogna Bernard. Tu vas nous empester toute la nuit.

Il continua à se frotter les joues. Cela faisait du bien. Ses couleurs revenaient. Il s'arrêta, étonné que Paul ne lui réponde pas. Il lâcha sa serviette et se retourna. Il sortit du minuscule cabinet de toilette et pénétra dans la chambre.

– Paul ?

Il le vit immédiatement, effondré sur le tapis, les bras en croix. Un mégot incandescent gisait à côté de lui.

Il grésilla, rougeoya une dernière fois, comme s'il faisait un clin d'œil, et s'éteignit.

Paul avait la tête rejetée en arrière et la bouche ouverte. Un poignard était planté dans sa poitrine. Sa chemise déchirée révélait son torse griffé.

Bernard n'avait rien entendu à cause du bruit des canalisations. Il n'avait rien vu.

Une silhouette se tenait debout, immobile derrière le cadavre. Bernard détacha ses yeux du corps de son frère pour considérer les pattes massives et poilues qui pendaient au bout de la vieille peau de bête. La queue du lion traînait sur le parquet. Mais c'était surtout la figure qui était terrible. La figure humaine qui fixait Bernard sous la coiffure némès.

– C'est ton tour, prononça une voix d'outre-tombe. Je suis le Sphinx de la vengeance qui garde la tranquillité des morts. Comme les autres, tu as trahi. Dix ans après, ton châtiment tombe : la mort !

Un main jaillit de l'une des pattes griffues. Elle tenait un autre couteau.

Bernard Smythe baissa les paupières. Il était glacé, incapable de réagir.

Il comprit que l'autre enjambait la dépouille de Paul pour se jeter sur lui. Au dernier moment, alors que le tranchant allait lui transpercer la gorge, Bernard sauta en arrière et recula dans la salle de bains. Il tira la porte sur lui et mit le vieux crochet du panneau intérieur. Mais quelque chose bloquait !

Le front dégoulinant de sueur, Smythe s'acharna sur la porte. La lame bloquait la fermeture ! Elle remonta le long du chambranle en rayant le chêne et fit sauter le crochet.

Le professeur tira de toutes ses forces, mais l'arme s'activait, emportant des copeaux de bois. L'agresseur était trop fort et Bernard trop vieux.

Il ne pouvait même pas hurler. Il lâcha la poignée, et l'assaillant surgit, plein de haine.

22

Nancy Buckingham avait quitté les Peters et Christian depuis un moment. Elizabeth, en larmes, s'était effondrée dans les bras de Christian. Isis s'était précipitée contre sa mère. Ramsès, choqué par la violence de la dispute entre les deux femmes, n'avait pas bougé de la cheminée.

– Calme-toi, Elizabeth. Calme-toi, répétait Christian. Nancy ne sait plus ce qu'elle dit.

– Tu ne vaux pas mieux qu'elle ! cria soudain Elizabeth en le repoussant. Va-t'en, toi aussi !

– Mais…

– Tu n'es qu'un coureur de jupons ! Combien de temps as-tu été avec Nancy ? Tu t'es bien gardé de me dire que tu lui faisais aussi la cour ! Va-t'en ! Je ne veux plus te voir ! Tu as trahi ma confiance !

– Il faut qu'il reste ! s'exclama Ramsès.

– Calme-toi, Elizabeth. Tu vas faire une crise de nerfs et ça n'arrangera rien.

Elizabeth tapait des poings sur la poitrine de Christian.

Il l'immobilisa de son mieux. Isis pleurait elle aussi :

— Ce n'est pas vrai ce qu'elle a dit, n'est-ce pas ? Nous ne sommes pas les enfants du professeur Radcliffe ?

Cette question eut le don de calmer Elizabeth. Elle s'adressa à Christian.

— Laisse-moi quelques instants avec eux.

Il observa longuement la jeune femme et quitta la chambre.

Elizabeth attira ses jumeaux contre elle. L'heure des explications avait sonné.

— Le professeur Radcliffe m'avait fait venir en Égypte parce que… parce qu'il était amoureux de moi. Et je l'ai suivi. J'étais très jeune. Il avait été mon professeur et… je croyais l'aimer aussi.

— Nous sommes son fils et sa fille ? demanda Ramsès.

— Non. Ce n'est pas lui. Je l'aimais pour sa pensée, son savoir, mais en fait c'était plus de l'admiration que de l'amour. Je n'envisageais pas qu'il devienne mon mari et le père de mes enfants.

Elle serra les jumeaux encore plus fort contre elle. Sa voix n'était plus qu'un murmure.

— Mais lui, il m'aimait. Il me suivait partout. Les autres membres de l'équipe se moquaient de moi, je les détestais. Le matin du drame, Radcliffe est entré dans ma tente et m'a dit qu'il venait de découvrir un trésor. Il voulait le déterrer seul pendant la pause de midi et partir avec moi pour commencer une nouvelle vie. J'ai refusé. Il m'a injuriée et est sorti très en colère.

— Mais qui est notre père alors ?

Elizabeth avala sa salive :

– Un jeune homme se tenait derrière la tente. Il me surveillait en secret parce qu'il m'aimait aussi et qu'il était jaloux du professeur Radcliffe. Après l'accident, nous sommes tombés amoureux l'un de l'autre, mais il y a eu l'enquête, et les combines des membres de l'équipe sont remontées à la surface. J'étais dégoûtée par cette histoire… et je l'ai quitté. Je suis rentrée en Angleterre. Je ne savais pas encore que j'étais enceinte de vous, mes chéris ! Pardonnez-moi de vous avoir menti. Votre papa n'est pas mort de fièvre, mais il n'a jamais su que j'attendais ses enfants.

– C'est…

– Oui, Isis. C'est Christian.

23

– À présent, je vais aller le chercher, annonça Elizabeth.

– Ce n'est pas un assassin ?

– Non, Ramsès. J'ai confiance en lui.

– Alors, pourquoi tu t'es mise en colère contre lui ?

– J'étais furieuse à cause de Nancy. Mais ça va maintenant. Il doit attendre dans le couloir.

Elizabeth appliqua un doigt sur sa bouche :

– Maintenant que vous connaissez la vérité, ne lui en parlez pas. Christian n'est pas encore au courant. Il croit que j'ai connu quelqu'un d'autre.

– Mais…

– Laissez le temps faire son travail. Nous devons nous réhabituer l'un à l'autre. Et vous, je vous demande juste d'attendre un peu. Vous voulez bien ?

Ramsès et Isis acquiescèrent. Elizabeth ouvrit la porte. Christian n'était plus là.

Le front plissé, elle se tourna vers les jumeaux :

– Je ne suis pas rassurée. Je vais essayer de le trouver.

– Nous venons avec toi !

– Il n'en est pas question. Vous êtes plus en sécurité ici.

– Miss Bliss s'était barricadée avec un gros meuble et elle est morte aussi !

Elizabeth hésita. Mais la vision de ce corridor sinistre qui s'enfonçait dans les entrailles du château la décida. Elle repoussa ses enfants :

– Fermez à clé. J'en ai pour une seconde. Il a dû retourner dans sa chambre. Attendez-moi ici.

Elle claqua la porte et Isis tourna soigneusement la clé dans la serrure. Les jumeaux se regardèrent. Leur cœur battait à toute vitesse.

Christian ! Ils avaient enfin trouvé leur père ! Un homme solide et fort, capable de les protéger de la menace qui rôdait autour d'eux.

Les minutes commencèrent à s'écouler, aussi lentes que des heures.

– J'ai peur, dit finalement Isis. Maman ne revient pas.

– Ne t'en fais pas, la rassura son frère. Ils ont dû faire la paix et se font des bisous dans la chambre de Christian.

– Tu crois que c'est le moment ? Maman ne nous laisserait pas seuls aussi longtemps. Elle a bien trop peur qu'il nous arrive quelque chose.

Ramsès se dirigea vers la commode et son alignement de petites bouteilles remplies de sable. Il remarqua pour la première fois que des numéros avaient été collés au bas de chacune d'elles.

– Elles sont donc rangées selon un ordre précis,

conclut-il à voix haute. Tu vois, Isis, il ne faut pas les mélanger. Gizeh doit figurer avant Karnak. Cet ordre correspond sans doute aux voyages du professeur.

– Tu me casses les oreilles avec tes flacons, râla Isis. Ce qui m'intéresse en ce moment, c'est que notre père est toujours vivant ! Je voudrais tant que maman revienne.

Ramsès restait la bouche ouverte devant les fioles :

– Isis ! Les numéros ! L'ordre !

– De quoi parles-tu ?

– Des numéros qui étaient inscrits sur les caisses renfermant les morceaux du mannequin ! Rappelle-toi. Alan avait la tête et le numéro 1. Et il a été griffé à la joue ! Mallowan avait le numéro 2 et la main droite : il a été griffé à la main ! Pareil avec Agatha Bliss et son bras droit.

Isis bondit :

– Tu as raison ! L'assassin suit cet ordre ! Et il vernit les ongles du sphinx à chaque fois qu'il frappe ! Les Smythe avaient le torse et le bras gauche !

– Ça va être leur tour ! J'espère qu'il n'est pas trop tard ! Il faut tout de suite prévenir maman. Allons-y !

– Non, nous ne devons pas quitter la chambre, Ramsès !

– Attendons encore cinq minutes. Si elle n'est pas là, je sors et tu viens avec moi !

24

Où était Christian ?

Elizabeth se posait cette question alors qu'elle s'était perdue dans le dédale de couloirs. Elle était pourtant certaine que la chambre de son ancien amant se trouvait par là. Mais toutes les portes se ressemblaient à la lueur des appliques.

La jeune femme se demanda ce qu'elle faisait à déambuler seule dans cette bâtisse pleine de dangers. Elle voulait retrouver Christian, le sentir contre elle, confiant, protecteur, mais aussi amoureux. Ils avaient perdu tant d'années ! C'était pour cette raison qu'Elizabeth avait accepté de venir au manoir Radcliffe : elle voulait effacer ses erreurs, qu'Isis et Ramsès aient un père.

Elizabeth arriva sur le palier de l'escalier qui menait dans le hall. En contrebas, le sphinx luisait d'une légère phosphorescence. Elle décida d'aller compter les griffes peintes. S'il y en avait une de plus, cela voudrait dire que…

Elle agrippa la rambarde de fer forgé et descendit. Il lui sembla que les marches étaient molles sous ses pieds. La statue se rapprochait. Et si le meurtrier se cachait derrière ?

Elizabeth s'arrêta. Elle chercha des yeux un interrupteur, mais n'en trouva pas. De toute façon, avec les lumières du couloir et la lune qui filtrait au travers des verrières, il faisait assez clair.

Elle toucha le socle du sphinx et le contourna. Rien n'avait changé. Il n'y avait que les trois traces rouges correspondant aux meurtres de Radcliffe, du docteur Mallowan et d'Agatha Bliss.

Personne d'autre n'avait été supprimé. Elizabeth poussa un soupir de soulagement. Maintenant qu'elle était rassurée, il fallait remonter à l'étage, retrouver Christian. Et ses enfants qui devaient se demander ce qu'elle devenait.

Elizabeth s'éloigna du sphinx et gagna l'escalier. Sur sa gauche, un passage conduisait aux cuisines. Christian était peut-être parti par là ? Elle l'imagina attablé devant un plat de charcuterie, en train de manger tranquillement, alors qu'Isis, Ramsès, les Smythe, Nancy et elle mouraient de peur. Et cette image la fit sourire.

Elle allait se diriger de ce côté lorsqu'un grincement la fit sursauter. Par réflexe, elle saisit un lourd rideau pendu près d'une niche, et tourna lentement la tête. Elle aperçut un panneau qui pivotait dans le mur opposé. Elle le reconnut immédiatement. C'était celui du placard contenant les boîtes offertes en cadeau par Alan Radcliffe !

Mais comment pouvait-il s'ouvrir *de l'intérieur*?

Le crissement s'amplifia. Elizabeth souleva la tenture. Terrifiée, elle se dissimula derrière.

La porte du cagibi béait maintenant. Il ne contenait plus les caisses! À leur place, il y avait une forme étrange, une silhouette comme Élisabeth n'en avait jamais vu!

La jeune femme s'appuya contre le mur. Elle voulut fermer les yeux, mais c'était impossible. Hypnotisée, elle ne pouvait détacher son regard du personnage. Il venait de sortir du local et marchait lentement.

Quelque chose traînait derrière lui, une sorte de serpent. C'était une queue! Une queue de lion! Des membres massifs pendaient de chaque côté de son corps. Son visage était humain et sa tête coiffée à l'égyptienne. Le monstre s'approcha du sphinx et se concentra sur la patte gauche. Elizabeth crut qu'elle allait s'évanouir. Il peignait une griffe!

La nouvelle victime pouvait être Christian, Nancy ou l'un des Smythe? Et si c'était l'un des jumeaux? Blottie contre le tissu, Elizabeth sentit ses jambes se dérober et elle s'agenouilla.

Puis, il se prosterna face à la statue.

En le voyant dans cette position, Elizabeth reconnut le vêtement du mystérieux intrus. C'était la peau du lion qui décorait le palier! La peau dont Ramsès avait constaté la disparition. Il l'avait revêtue avant de se coiffer du némès, l'étoffe rayée. Il voulait personnifier le Sphinx! C'était un fou!

Il marmonna une prière et se releva. Elizabeth ne parvint pas à l'identifier. La lumière n'était pas assez puissante. La coiffure masquait les traits et cachait les cheveux. Il recula vers le réduit ouvert. Il repartait ! Oui, mais par où ? Il n'allait certainement pas rester enfermé dans ce placard. Il devait exister un passage secret, une trappe qui conduisait aux autres pièces… C'était fini ! Elizabeth était passée tout près du danger, la menace s'éloignait maintenant. Elle soupira, soulagée. Pour se redresser, elle s'aida en agrippant l'étoffe. Et, d'un seul coup, un terrible bruit retentit au-dessus d'elle. La tringle du rideau tomba dans un grand fracas tandis que le tissu s'amoncelait à ses pieds.

De l'autre côté de la statue, le Sphinx vivant s'immobilisa devant la porte du cagibi.

25

Elizabeth bondit vers l'escalier et saisit la rambarde. Elle tendit tout son corps dans la course éperdue qu'elle devait gagner pour échapper à la mort.

En entendant des pas précipités dans le hall, elle comprit que la créature courait derrière elle. Elle sentit même une main lui frôler la cheville. Mais, à ce moment, elle avait réussi à grimper plusieurs marches et avait de l'avance.

Elizabeth était encore jeune et sportive. Elle pouvait compter sur ses réflexes pour s'en sortir. Elle ne devait surtout pas succomber au sentiment d'horreur qui la gagnait, sinon elle risquait d'être rattrapée à n'importe quel moment. Il ne fallait pas qu'elle se retourne, mais qu'elle concentre ses forces pour sa survie immédiate. Gagner un abri avant que l'autre ne l'atteigne, ne la frappe et ne la tue.

Elle était entraînée dans la spirale de l'escalier. Ses doigts moites glissaient sur le fer forgé. Une main lui agrippa le mollet et la griffa. Elizabeth cria, se dégagea et reprit son escalade. Elle percevait la respiration haletante derrière elle.

Elle parvint au palier et s'élança dans le couloir. La pièce qu'elle partageait avec Isis et Ramsès était dans le fond. Les jumeaux auraient-ils le temps de déverrouiller la porte pour la sauver?

Mais elle mettrait alors en danger la vie de ses enfants! Il fallait trouver refuge ailleurs. La chambre de Christian!

Elizabeth se jeta sur la poignée, ouvrit et se précipita à l'intérieur. Elle eut juste le temps de claquer le lourd panneau de bois sur l'être furieux qui s'y cogna. Il frappa dessus avec violence.

Elizabeth recula, un poing enfoncé dans la bouche. Elle avait eu le temps de fermer à clé. Mais était-ce un rempart suffisant contre le châtiment qu'incarnait le Sphinx dément?

26

Isis et Ramsès entendirent un grand cri. Il venait de la pièce contiguë. Il se poursuivit pendant de longues secondes horribles, puis s'interrompit brusquement.

– C'est maman ! souffla Isis.

– Non, c'est Nancy Buckingham qui loge à côté !

– Tu crois que ?…

– Ce n'est pas son tour ! À moins que les Smythe aient déjà été éliminés eux aussi !

– Ramsès, j'ai peur ! Il faut partir ! Pourquoi a-t-elle crié comme ça ?

Le garçon se leva. Délaissant sa sœur, il s'avança vers un placard inclus dans le mur. Le hurlement semblait venir de cet endroit. Il ouvrit lentement la porte qui révéla un espace aux étagères vides. Isis rejoignit son frère et se serra contre lui.

Dans l'obscurité du réduit, ils aperçurent de la lumière qui filtrait entre deux planches disjointes. Ce cagibi donnait sur celui de la chambre voisine ! Et il était ouvert de l'autre côté. Ils collèrent un œil sur la longue fente. Ils virent alors le nouveau drame qui se déroulait chez Nancy Buckingham.

La femme était debout et de dos. Elle tendait ses mains en avant, secouant sa lourde chevelure dorée comme si elle ne voulait pas croire ce qu'elle voyait. En face d'elle se tenait un individu sinistre et immobile.

LE SPHINX !

Ramsès et Isis se rejetèrent en arrière, horrifiés. Les yeux écarquillés, ils se regardèrent. Qui pouvait les aider ? Et qu'allait-il arriver à Nancy prisonnière du monstre ?

À cet instant, un nouveau cri retentit, plus faible, suivi par le bruit d'une chute. Ramsès voulut hurler de rage et frapper du poing contre le panneau du réduit. Mais sa raison l'en empêcha. Il aurait alerté l'assassin et les aurait mis en danger, sa sœur et lui.

Nancy Buckingham était tombée ! Elle ne bougeait plus. Elle devait être morte. Ramsès serra le poignet d'Isis comme dans un étau. Le Sphinx venait d'enjamber le cadavre de Nancy et se dirigeait vers lui !

Sa forme grandit. Ramsès distinguait la peau du lion, l'horrible visage maquillé sous la coiffure rayée, les amulettes qui se balançaient sur sa poitrine. Il bondit en arrière et tira sa sœur avec lui.

Le Sphinx allait pulvériser le fond du placard, entrer chez eux et les tuer à leur tour. Où était leur mère ? Et Christian ? Était-ce lui le Sphinx ?

Ramsès et Isis perçurent un coup contre la paroi de leur refuge. Quelque chose glissa de l'autre côté. Puis, ce fut le silence.

Serrés l'un contre l'autre, les jumeaux attendirent, la respiration bloquée par la terreur. Au bout d'un moment, Ramsès eut la force de bouger. Il jeta un œil dans la fente du placard.

Nancy était toujours couchée au milieu de la pièce illuminée, ses cheveux blonds ramenés sur sa figure. Son bras gauche était tendu en avant et sa main avait été sauvagement griffée.

Le Sphinx avait disparu !

27

« J'ai assez attendu, pensait Elizabeth. Les enfants doivent être morts de peur, tout seuls… À moins que Christian ne soit revenu… »

Leur père ! Elizabeth avala sa salive et jeta un regard dans la chambre de l'étudiant qu'elle avait tant aimé et qu'elle avait quitté dix ans auparavant, sur un coup de tête.

Un sac de sport fermé avait été jeté sur le lit. Elle fut tentée de le fouiller pour y découvrir une arme. Mais pourquoi Christian aurait-il possédé une arme ? Il ne pouvait pas savoir que l'invitation d'Alan Radcliffe allait se transformer en traquenard !

Elizabeth se mordit les lèvres. Elle ne voulait pas imaginer ce qui avait pu arriver à Christian. Il était absent depuis trop longtemps. Il avait dit qu'il s'occuperait de Nancy Buckingham. Se trouvait-il avec elle ?

Il devait exister un autre motif à son absence. Un motif plus grave ! La personne déguisée en Sphinx l'avait peut-être rencontré et en avait fait une nouvelle victime !

Elizabeth se précipita vers la porte. Elle ne pouvait plus supporter de rester là, à se morfondre. Elle préférait affronter le monstre plutôt qu'attendre sans rien tenter. Elle s'apprêtait à tourner la clé dans la serrure, quand un glissement derrière elle l'arrêta dans son élan. Elle fit volte-face.

Un panneau de boiserie venait de pivoter. Le Sphinx sortit de l'ombre et s'avança vers elle. Elizabeth colla son dos contre le battant de chêne, muette d'effroi. C'était son tour. Voilà, c'était maintenant !

— Ramsès ! Isis ! parvint-elle à appeler.

— Ce n'est pas à toi, dit la voix. Tu es le numéro 8 et je grifferai ta jambe gauche. Le numéro 6 vient de mourir. Sa main gauche est en sang, et il ne bouge plus. Pour toi, le moment n'est pas encore venu… mais je vais prendre mes précautions !

Elizabeth ne comprit rien à ce discours. Elle n'entendit qu'une suite de mots chuchotés par une bouche aux lèvres noires. Elle vit un bras se lever. Il brandissait une matraque et non un poignard. Mais Elizabeth n'eut pas le temps de s'en rendre compte. Elle crut que sa dernière heure était arrivée. Le coup atteignit son crâne et elle sombra, inconsciente.

28

— Il est venu vers nous, dit Ramsès. Il est entré dans le placard, *de l'autre côté*, et il a disparu ! Tu comprends, Isis, il utilise des couloirs secrets cachés dans l'épaisseur des murs. Il passe par les placards pour poignarder les gens ! C'est pour ça qu'Agatha Bliss n'a rien pu faire malgré la commode qui bloquait la porte de sa chambre.

— Mais pourquoi n'est-il pas entré dans la nôtre ?

— Parce que ce n'est pas notre tour ! Si Nancy est morte, cela veut dire que les deux Smythe ont été assassinés ! Après Nancy, c'est le numéro 7.

— Christian !

Les jumeaux se dévisagèrent, effarés. Ils n'avaient pas besoin de mots pour se comprendre : leur père, à peine retrouvé, allait disparaître sous les coups vengeurs d'un fou déguisé en Sphinx. Ce n'était plus qu'une question de minutes, maintenant !

Ramsès s'avança une nouvelle fois dans le réduit. Ses mains tâtonnèrent sur la surface. Isis se taisait. Elle savait ce que son frère comptait faire : trouver le moyen d'entrer lui aussi dans le passage secret, suivre les traces du monstre et sauver Christian avant qu'il ne soit trop tard.

Ils auraient tant voulu que leur mère soit là ! Mais ce n'était pas le moment de se désoler, ni d'attendre comme des moutons terrorisés que le loup surgisse pour les manger. Il fallait agir, et vite !

Isis se mit aussi à chercher le moyen de faire basculer le panneau du fond. Leurs doigts s'accrochèrent aux moulures, aux aspérités que pouvait présenter le bois.

Enfin, Ramsès plaça l'index sur une pastille en relief insérée à hauteur d'adulte.

Ils entendirent un déclic. Le garçon fit un pas en arrière.

La paroi venait de basculer, révélant un abîme nauséabond et ténébreux.

29

Avant d'ouvrir les paupières, Elizabeth voulut se frotter le sommet du crâne. Mais ses bras restèrent collés contre elle.

Combien de temps était-elle demeurée évanouie ? Elle se rappela la panique qui l'avait gagnée quand elle avait vu le meurtrier sortir de la cloison, tel un fantôme vengeur.

Elle était ligotée et bâillonnée sur le lit de Christian. Le Sphinx lui avait annoncé que son tour viendrait bientôt. Elizabeth trembla. Les larmes montèrent à ses yeux. Elle n'avait plus qu'à attendre que la mort s'occupe d'elle.

Isis et Ramsès étaient-ils encore vivants ?

Elle gigota en vain. Les nœuds de la corde étaient très serrés et le bâillon l'étouffait. Elle était ficelée telle une victime préparée pour le sacrifice. Il n'y avait plus aucun espoir.

Le silence régnait. La pluie ne tambourinait plus sur les vitres des fenêtres.

« C'est fini, pensa Elizabeth. Le déluge s'est arrêté. Bientôt le cours de la rivière va baisser, les secours vont enfin atteindre le château. Mais ce sera trop tard. »

Soudain, des bruits se succédèrent dans le mur. Elizabeth songea d'abord à des rats. Mais les chocs retentissaient toujours au même niveau et ne se déplaçaient pas au hasard. Quelqu'un empruntait un couloir secret !

Le Sphinx revenait !

Il poursuivait son ordre implacable. Maintenant il allait réapparaître pour la tuer ! Elizabeth ferma les yeux.

Les pas dépassèrent le panneau de bois qui avait pivoté tout à l'heure. Elizabeth s'agita sur les couvertures. Le danger était passé.

Si ce n'était pas le Sphinx, alors qui marchait dans ce passage ?

30

De minuscules veilleuses électriques vertes, enfon-
cées dans les cloisons, diffusaient une lumière suffi-
sante pour guider les jumeaux. Ils progressaient dans
la pénombre, suivant les boyaux suintant d'humidité
et percés parfois de cloisons mobiles donnant sur les
pièces du manoir Radcliffe.

Ramsès et Isis entendaient au loin le pas du Sphinx qui
les devançait. Qui se cachait sous ce déguisement ?
Quel être humain avait pu concevoir un plan aussi
diabolique ?

Ils devaient se montrer courageux et faire tout leur
possible pour sauver ceux qui vivaient encore. Leur
mère, sans doute Christian, et eux-mêmes ! Comme il
leur semblait loin le temps où ils étaient montés dans
le taxi avec Agatha Bliss. Jusqu'où cette aventure
allait-elle les entraîner ?

Les galeries serpentaient à l'infini. Les petites veilleuses
permettaient au Sphinx de se déplacer aisément dans les
murailles du château sans emporter de torche électrique.

Mais qui connaissait aussi bien les cachettes du repère des Radcliffe ? Alan avait été poignardé dans le dos. Le docteur Mallowan avait constaté son décès devant tout le monde. Ensuite ce fut le tour de Mallowan, puis celui d'Agatha Bliss. Les Smythe avaient probablement précédé Nancy Buckingham. Six morts pour un mystère !

Il ne restait que quatre invités. L'un d'eux, Christian, avait disparu. Et le Sphinx s'était matérialisé devant leurs yeux dans la chambre de Nancy. Ramsès et Isis ne pouvaient pas imaginer que Christian et le Sphinx fissent une seule et même personne.

L'atmosphère était oppressante. Les enfants avaient du mal à respirer normalement. Ils avançaient à pas de loup, courbés et attentifs. Malgré leur peur, ils étaient décidés à résoudre l'énigme.

Ramsès déclenchait le mécanisme de chaque panneau qu'ils dépassaient. Il se disait que si le Sphinx les surprenait, lui et sa sœur auraient le temps de s'enfuir en empruntant le premier venu. La vision d'un étroit escalier qui plongeait dans les ténèbres interrompit ses pensées. Isis colla sa bouche à l'oreille de son frère :

– Il ne faut pas y aller.

– Le Sphinx est descendu, lui. Nous devons le suivre pour sauver Christian. C'est lui qui est en danger maintenant.

– Qu'est-ce qu'on peut faire ? Nous n'avons pas d'arme. Rien pour nous défendre.

Ramsès n'écouta pas Isis et commença à emprunter les marches rendues glissantes par les infiltrations d'eau. Elles étaient petites, étroites et très serrées.

Quand les jumeaux parvinrent enfin en bas, ils découvrirent sur leur droite un nouvel escalier qui s'enfonçait encore plus profondément. Au loin, devant eux, ils perçurent les échos d'un ricanement. Isis s'immobilisa en équilibre. Ramsès l'entraîna.

Jusqu'où descendaient-ils ? Ils savaient déjà qu'ils se trouvaient sous le rez-de-chaussée. Ils entraient dans le royaume souterrain des caves, où personne ne pouvait habiter.

Sauf le Sphinx, le gardien des morts.

31

Les moisissures avaient ravagé les fresques égyptiennes qui décoraient le tombeau du professeur Radcliffe. Des flammèches tremblaient dans des lampes à huile. Ligoté à l'un des obélisques qui soutenaient le plafond fendu, Christian Mertz écoutait les pas s'approcher.

La révélation était imminente. Il allait connaître la vérité, mais ce serait trop tard. Un poignard transpercerait sa poitrine, et il deviendrait la nouvelle victime du Sphinx.

Il avait été assommé alors que, à l'aide d'un couteau de cuisine, il tentait de forcer la serrure de la porte mystérieuse. Celle qu'il avait découverte dans la cave avec les frères Smythe quand ils avaient fouillé le manoir. Déjà, il avait supposé qu'elle donnait sur la crypte égyptienne aménagée pour accueillir la dépouille du professeur Radcliffe. Quand il était sorti de la chambre pour laisser Elizabeth parler à ses enfants, il s'était dit que c'était le moment d'aller examiner le sous-sol.

Il avait pressenti qu'il trouverait la solution dans cet endroit secret.

Mais son agresseur avait été plus rapide. Et voilà que Christian reprenait connaissance au milieu du plus fantastique des décors.

Des papyrus, des lotus et des hiéroglyphes peints couvraient les parois qui l'entouraient. Anubis, le dieu à tête de chacal, et Horus, le dieu à tête de faucon, lui faisaient face. Ils encadraient des vases canopes contenant les viscères du défunt.

Ces vases étaient posés au pied d'un grand sarcophage ouvert au beau milieu de la crypte. Ce ne fut pourtant pas cette vision qui l'épouvanta.

Quelqu'un avait reconstitué le mannequin. Il trônait à côté de la momie du professeur Radcliffe ! Ce dernier semblait sourire, les bras bien collés le long de son torse, les jambes droites. Christian pensa qu'il faisait un cauchemar.

Il savait pourtant que ce n'était pas un rêve, mais un plan mûrement réfléchi par un détraqué. Les pas devinrent plus pesants derrière le mur. Une cloison pivota. Christian se raidit. Une forme sortit de la pénombre, suivie d'une longue queue qui traînait sur le sol.

Le Sphinx !

32

Au bout du couloir, Ramsès et Isis aperçurent un rectangle de lumière. Le monstre venait d'ouvrir une porte sur une pièce hors du temps, où les ombres mystérieuses se mouvaient sur des peintures égyptiennes. Ils s'avancèrent jusqu'à distinguer le dos du Sphinx. Il se tenait debout face à un sarcophage. Des obélisques sculptés d'hiéroglyphes à demi effacés soutenaient un plafond voûté.

Ramsès sursauta. Il désigna du doigt une colonne s'élevant devant lui. Isis regarda dans cette direction et avala sa salive avec difficulté : elle venait de voir Christian ligoté. Il n'était pas mort ! Du moins, pas encore...

Il se tenait bien droit, fier, crispé. Aucune trace de peur ne se lisait sur son visage.

— Je suis le Sphinx de la vengeance, gardien de la tranquillité des morts, déclara le meurtrier de sa voix d'outre-tombe. Comme les autres, tu as trahi. Dix ans après, ton châtiment tombe... La mort !

— Personne n'a assassiné le professeur Radcliffe ! lança Christian Mertz. S'il a été enterré vivant dans le tombeau, c'est le destin qui l'a châtié ! Il allait s'emparer d'un trésor. Il était aussi malhonnête que les autres.

— Tais-toi ! Tu vas mourir !

— C'est toi qui devrais mourir, pauvre esprit malade ! J'aurais dû me douter que ton assassinat était une manœuvre. Quand nous sommes entrés dans ta chambre, le docteur Mallowan nous a empêchés de nous approcher de ton cadavre. Nous l'avons cru quand il a affirmé que tu étais mort. Nous n'avons pas compris que le couteau planté dans ton dos était faux, tout comme le sang qui inondait le sol. Mallowan était ton complice, n'est-ce pas ? Tu t'es servi de lui pour le début de ton plan et tu t'en es débarrassé quand tu n'as plus eu besoin de lui !

Pendant un instant le Sphinx ne répondit pas. Puis il dit :

— Tu es un malin, Mertz. Je l'ai toujours su ! C'est pour cela que je t'ai donné le numéro 7, avant la petite famille Peters. Je voulais jouer avec toi. Et j'ai bien joué ! Ha, ha, ha ! Vous avez tous tué mon père !

— Ce n'est pas vrai. Personne ne l'a tué.

— J'ai raconté à cet imbécile de Mallowan que j'avais une dette envers la mémoire de mon père et qu'il pouvait m'aider. Le docteur devait vous convaincre que je venais d'être poignardé par l'un de vous. Je lui ai dit que vous seriez terrorisés et que le coupable se dénoncerait immédiatement. Ensuite, je devais réapparaître et le faire emprisonner. Mallowan m'a cru. J'avais dès lors le champ libre pour ma vengeance ! Il a été ma première victime ! Quel naïf ! C'est à ton tour maintenant, Mertz. Avec cette griffe, je tracerai mon signe dans la chair de ta jambe. C'est bien la jambe du mannequin que tu as eu en cadeau, non ?

– Misérable demeuré ! Avec ta carpette mitée sur le dos et ton torchon sur la tête, tu ressembles à un clown.

– Tu peux te moquer, Mertz. Désormais, tu pourras t'amuser en enfer !

Christian déglutit difficilement. Alan Radcliffe, une dangereuse flamme dans les yeux, contourna le sarcophage et sortit un poignard de sa ceinture.

– Meurs donc !

33

Christian remarqua alors les deux petits visages qui remuaient dans l'embrasure de la porte. Isis ! Ramsès ! Ils avaient suivi Radcliffe dans le souterrain.

Alan s'approcha, la main levée. Les jumeaux ne pouvaient rien tenter pour le sauver. Lui-même était immobilisé par la corde qui le liait à son poteau. Il ne pouvait pas accepter que les jumeaux soient témoins d'un nouveau meurtre !

Une force phénoménale monta en lui. Ses deux jambes se relevèrent et il projeta ses pieds sur le ventre de Radcliffe qui partit à reculons, les bras écartés. Il fut catapulté contre une colonne de soutènement. Sous le choc, elle se cassa en deux.

Le poignard tomba sur les dalles du sol et tournoya en direction des jumeaux.

– NON ! hurla Radcliffe.

Une pluie de plâtre s'abattit sur lui, le couvrant de blanc. Un énorme morceau de voûte se détacha, puis un autre.

Profitant de la situation, les enfants bondirent de leur cachette. Ramsès s'empara de l'arme et se rua sur Christian. Radcliffe voulut se redresser, mais, dans un grand fracas, deux nouveaux blocs de pierres tombèrent sur lui. Un épais nuage de poussière envahit les lieux. Isis se mit à tousser. Elle relaya son frère pour couper la corde.

– Vite, vite ! cria Christian. Tout va s'écrouler !

Une nouvelle partie de la voûte se descella dans un bruit épouvantable. Comme un jeu de construction, après l'enlèvement d'une pièce maîtresse, le plafond fendu cédait de toutes parts. Les obélisques, rongés par l'humidité, s'effondraient les uns après les autres.

D'Alan Radcliffe, on ne voyait plus que les doigts bagués émergeant encore du chaos et s'agitant frénétiquement. Mais une nouvelle chute de blocs fit disparaître définitivement le meurtrier, la statue d'Anubis et le sarcophage.

Christian tira sur la corde et se libéra enfin. L'entrée de la crypte était hors d'atteinte. La seule issue était le passage secret toujours ouvert. Christian saisit les mains d'Isis et de Ramsès et se précipita, évitant les débris qui s'amoncelaient.

Ils toussaient tous les trois et ne voyaient plus rien. La poussière leur piquait les yeux et leur rentrait dans la bouche. Des trous de plus en plus grands se formaient au-dessus d'eux, déversant des tonnes de gravats. Ce fut un miracle s'ils parvinrent à atteindre le passage secret. Ils s'y engouffrèrent, laissant derrière eux la sépulture du professeur Radcliffe, disparue à tout jamais.

34

Ils débouchèrent dans le hall en sortant par le cagibi. Ils étaient couverts de plâtre. Quand ils poussèrent le panneau, un nuage de poussière les accompagna.

– Le sphinx ! Il bouge ! hurla Isis.

Christian Mertz s'apprêtait à traverser la pièce. Il s'immobilisa, stupéfait. L'immense statue du sphinx se mit à tanguer comme si elle était sur le pont d'un navire. Six de ses griffes étaient peintes. Elizabeth vivait donc encore ! Les carreaux noirs et blancs du sol bougèrent eux aussi. Ils sautèrent de leur joint pour se chevaucher. Le socle puis les pattes et le torse du sphinx s'enfoncèrent dans les carreaux.

– Le sol s'effondre à son tour ! s'exclama Ramsès.

– Reculez ! ordonna Christian. Nous sommes juste au-dessus de la crypte !

Ils eurent juste le temps de regagner le cagibi avant de voir le sphinx disparaître dans les entrailles du manoir, avec tout le carrelage, les meubles et la vitrine vidée de ses poignards.

Hébétés devant ce gigantesque trou, ils laissèrent l'énorme nuage poudreux se dissiper.

Isis et Ramsès se serrèrent contre Christian. Il les prit par les épaules et murmura :

– Il ne nous reste plus qu'à retrouver votre mère, mes enfants.

Les jumeaux le regardèrent, bouche bée.

Alors, il savait qu'il était leur père !

Tout danger était maintenant écarté. Ils allaient délivrer Elizabeth. Ensuite, ils n'auraient plus qu'à rejoindre le village et à alerter les secours.

Dehors, la pluie avait cessé depuis longtemps.

Le soleil se levait déjà…

FIN

Et pour t'aventurer encore dans
l'univers obscur du

lis
ces quelques pages de

SOUS L'ŒIL DU CYCLOPE

Le ruban de la route défile sous les roues de la Jeep.
À gauche, le versant abrupt de la montagne grimpe vers
le ciel turquoise. À droite, le précipice.
Le moteur du véhicule fait un bruit d'enfer. Le vent
agite les cheveux des passagers. Derrière, la grand-
mère plisse les yeux.
La petite ville d'Archangelos se trouve à six kilomètres. La pente, elle, est longue de deux kilomètres.
Pendant les vacances, Nicolas Zografos l'emprunte
souvent avec sa Volvo. Aujourd'hui, avec la Jeep,
l'impression n'est pas la même.
La voiture prend de la vitesse. Le pied du conducteur
écrase le frein, qui s'enfonce jusqu'au plancher. En un
quart de seconde, la sueur inonde le front de Nicolas.
Il appuie encore sur le frein, mais il n'y a plus rien :
la pédale est devenue molle, inutile.
La voiture s'emballe. Rosa regarde son mari.
– Freine, Nicolas ! Freine !

Il est trop tard pour utiliser le frein à main, il faudrait rétrograder. Il faudrait…

– Freine ! Freine !

Le sourire d'Anna, la grand-mère, se fige. Rosa pousse des cris de terreur. Le visage de Nicolas est blanc comme un linge. Le décor de la montagne file à une allure vertigineuse.

Un gouffre s'ouvre devant eux.

La Jeep tourne sur la gauche. Plutôt s'écraser contre la paroi que de plonger droit dans le précipice ! Mais elle va trop vite ! Nicolas braque à fond. La voiture bascule comme un jouet et part en faisant des tonneaux. Il n'y a pas de ceinture de sécurité. La grand-mère est éjectée.

Nicolas et Rosa voient le décor se ruer sur eux, tourner et éclater en mille morceaux. Soudain, c'est le silence. La Jeep est en équilibre sur le bord du précipice. Puis elle plonge, tourbillonne et s'écrase.

– Haaaaaaaaaaaa !

Iannis se retrouva assis dans son lit. Assommé par son cauchemar, il mit quelques instants avant de réaliser qu'il n'était pas dans la voiture avec ses parents. Le matin de l'accident, sa mère avait refusé qu'il monte dans la Jeep.

Cela faisait six mois que Iannis était orphelin. Six mois que le même cauchemar revenait le hanter.

La porte de sa chambre s'ouvrit et Sofia entra. C'était

une jeune fille aux longs cheveux noirs que Markos Katsakas, le tuteur de Iannis, avait engagée pour s'occuper de lui.

– Iannis! Tout va bien?

Le garçon passa une main moite sur son front. Ses draps étaient froissés, la couverture gisait en boule sur le plancher, l'oreiller avait atterri aux pieds de l'armoire.

Sofia s'assit sur le bord du lit et lui prit la main. Elle l'observa avec inquiétude.

Quelle idée avait eue Markos de revenir sur l'île de Rhodes, six mois seulement après la mort des parents et de la grand-mère de Iannis! Ne pouvait-on oublier cette maison et démarrer une nouvelle vie?

– C'était un cauchemar. Tout va bien maintenant, Iannis.

– C'est toujours le même, Sofia! Je…

Iannis s'interrompit. Il venait de sentir une autre présence dans la chambre. Il vit, par-dessus l'épaule de Sofia, la silhouette impressionnante de Markos s'encadrer dans la porte.

Markos avança. Malgré la fraîcheur qui régnait entre les vieux murs épais, il ne portait qu'un caleçon de soie. Ses muscles roulaient sous la lumière indirecte de la lampe de chevet.

Le Colosse de Rhodes[1] entrait dans la chambre!

---

1. Statue d'environ 35 mètres de hauteur représentant Apollon.

— C'était encore son cauchemar, Monsieur Katsakas, dit Sofia. Je crois que nous n'aurions pas dû revenir ici. Elle rougit. Ce n'était pas à elle de reprocher à Markos sa décision. C'était son employeur. Il pouvait la chasser à n'importe quel moment.

Markos ignora la réflexion et s'avança jusqu'au lit. Une dizaine d'années plus tôt, alors qu'il était encore militaire, un éclat de grenade s'était fiché dans son œil droit. Depuis, il le cachait derrière un bandeau noir de pirate.

Il vint frictionner la tête de Iannis avec sa grosse poigne.

— Allons, c'est fini, Iannis. Ne fais pas le bébé. Essaie de te rendormir. Demain, tu n'y penseras plus.

Le garçon respirait difficilement.

— Je suis sûre qu'il va nous faire une crise d'asthme, reprit Sofia. Il faudrait appeler le docteur.

— Non, pas à quatre heures du matin ! Ce n'était qu'un rêve, Iannis. Rendors-toi.

— Je vais te chercher un verre d'eau, proposa la jeune fille.

— Laisse-le tranquille, Sofia. Tu l'écoutes trop.

— Mais regardez. Il est tout blanc…

— Va te recoucher, Sofia.

— Mais…

— Je t'ai dit d'aller te recoucher ! Tu ne vas pas rester là toute la nuit à lui tenir la main.

Sofia se redressa à contrecœur. Elle quitta la chambre.

Markos attendit qu'elle referme la porte derrière elle. Il resta quelques instants à contempler le garçon de toute sa hauteur.

– Écoute, Iannis. Tu ne vas pas recommencer ta comédie. Nous sommes restés six mois à Athènes. Je me suis occupé de tout, j'ai fait le maximum pour te faire oublier la mort de tes parents et de ta grand-mère. J'ai aussi mes problèmes de santé avec ce satané œil qui me fait un mal de chien… Je ne me plains pas, moi ! Alors, il faut que tu y mettes un peu du tien, d'accord ? Il y a beaucoup de choses à faire ici, si je veux garder cette maison en état.

– Je déteste cette maison !

Iannis avait parlé trop bas. Son tuteur fit la grimace et pencha la tête :

– Qu'est-ce que tu as dit ?

Iannis n'osa pas répéter. Il baissa les yeux, honteux de sa faiblesse.

– Cette maison appartient à ta famille depuis des générations, reprit Markos. J'y venais à chaque vacances avec tes parents. C'est en souvenir d'eux que nous sommes ici. Éteins ta lampe maintenant. Et que je n'entende plus parler de ce cauchemar.

La gorge nouée, sans un mot, Iannis se retourna contre le mur.

Iannis n'était pas heureux avec son tuteur.

Après l'accident, il s'était retrouvé seul. N'ayant plus de famille pour s'occuper de lui, il avait été placé sous la tutelle de Markos, qui s'était présenté comme employé et ami des parents de Iannis.

Grand-Père Zografos avait créé une raffinerie d'huile d'olive, devenue une entreprise très importante à la fin de sa vie. Son fils Nicolas lui avait succédé et avait créé d'autres dépôts. Depuis, la société possédait des filiales à l'étranger. À la mort des parents du garçon, Markos Katsakas était passé du statut de chef du personnel à celui de P.-D. G. des Huiles Zografos et ce surplus de travail n'avait pas amélioré son caractère, au contraire.

Pourtant, cet ancien colonel de l'armée grecque savait dépenser son excès d'agressivité. Il s'était fait installer une salle de sports, dans l'appartement athénien des parents de Iannis qu'il occupait maintenant. Il avait même fait venir des machines de musculation dans la maison d'Archangelos. Le seul défaut dans la cuirasse de cette force de la nature était son œil mort qui le faisait souffrir.

Iannis avait peur de ce tuteur choisi par la loi. Mais il n'avait guère le choix. Et puis Markos avait su se rendre aimable. Au début.

En réalité, sa seule bonne action avait été d'engager Sofia. Face aux cauchemars répétés de Iannis, il avait fait venir un psychiatre pour le soigner. Puis il avait mis un terme à toutes les relations extérieures du garçon, même avec le collège. À Athènes, deux professeurs lui donnaient désormais des cours particuliers. Iannis ne voyait plus personne, en dehors de son tuteur, Sofia, son psychiatre et ses deux professeurs.

Les yeux grands ouverts, Iannis cherchait une pensée agréable à laquelle se raccrocher. Mais il n'en trouvait pas. Il se répétait que ses parents et sa grand-mère étaient morts, qu'il ne les reverrait jamais, qu'il était jeune et que son avenir s'annonçait triste.

Il se leva et traversa la chambre. La porte ne fit pas de bruit quand il l'ouvrit sur le palier sentant le moisi. Il marcha sur la pointe des pieds pour ne pas mettre la puce à l'oreille de Markos, qui se réveillait au moindre trottinement de souris !

Iannis avait décidé d'aller grignoter quelque chose à la cuisine. Mais il fallait passer devant la chambre de

Markos. Heureusement, celui-ci était trop occupé à réprimander Sofia.

– Je te préviens, criait-il, je ne vais pas te supporter longtemps ! Ce n'est pas à toi de me dire ce que je dois faire ! Si j'ai décidé de revenir dans cette maison, c'est mon droit. Fiche le camp et ne t'avise plus de me contredire devant Iannis.

La porte s'ouvrit. Haletant, Iannis bondit en arrière, se plaquant contre le mur. Sofia se rua dans le couloir et descendit les marches quatre à quatre. Markos claqua sa porte. Son lit grinça. Iannis attendit quelques instants et suivit Sofia.

La maison était constituée d'un ensemble de vieilles bergeries restaurées depuis des générations. Des bâtiments et un ancien porche de pierre cernaient une cour pavée. Le portail en gros chêne noir restait toujours ouvert sur la petite route qui descendait en pente, vers Archangelos. Une pente particulièrement raide et dangereuse.

Du seuil de la maison, le point de vue était superbe. Mais à l'intérieur, ce n'était qu'escaliers, corridors et paliers étroits reliant des pièces de niveaux différents. Sofia était assise à la table de la cuisine. La tête penchée, les cheveux dans les yeux, elle pleurait :

– Iannis ! Tu m'as fait peur, s'exclama-t-elle quand le garçon lui passa un bras sur les épaules. Qu'est-ce que tu fais ici ?

— La même chose que toi, tu sais. Je viens chercher le calme et de quoi me faire un petit casse-croûte.

Sofia s'essuya nerveusement les yeux :

— Je suis fatiguée en ce moment. Ce n'est pas grave.

— Il n'a pas de cœur. Il ne pense qu'à lui. C'est dans cette maison de vacances que j'ai vu mourir mes parents et ma grand-mère et il me ramène ici !

Sofia posa une main sur celle de Iannis.

— On peut parler un peu, si tu veux. Il est couché maintenant. Ça te soulagera avant de retourner au lit.

— Alors, viens avec moi. Je vais te montrer quelque chose.

Ils sortirent dans la nuit parfumée et traversèrent la courette sur la pointe des pieds. Ils longèrent des appentis, des remises et d'anciennes soues. Iannis s'arrêta devant une grande porte de bois et l'ouvrit lentement.

À l'intérieur luisait la calandre d'une Volvo break, noire et longue comme un corbillard.

– Eh bien ? chuchota Sofia. C'est la voiture de M. Katsakas, qu'est-ce que tu veux en faire ?

– Écoute, Sofia ! Cette voiture appartenait à mes parents. Il y a six mois, quand nous étions tous ici, elle n'a pas voulu démarrer le matin de l'accident. Mes parents et ma grand-mère devaient se rendre à la messe. Ils étaient pressés. Alors Markos a proposé sa vieille Jeep. Et c'est avec la Jeep que ma famille s'est tuée.

Sofia attira Iannis à elle. Il posa la tête contre son épaule :

— Et tu sais, ajouta-t-il. Je devais, moi aussi, aller à la messe avec eux. Mais, au moment de partir, ma mère m'a dit de rester. La Jeep n'était pas couverte, et j'avais un rhume.

Iannis ricana :

— J'ai été sauvé par un rhume, tu te rends compte ?

Sofia poussa la porte. La Volvo disparut derrière le battant. La jeune fille entraîna Iannis vers la cuisine.

Tandis qu'ils marchaient sur les pavés, elle maudit Markos Katsakas de s'être emparé de cette voiture ainsi que de la fortune Zografos.

— J'ai toujours été seul pendant les vacances, disait Iannis, allongé dans son lit. Cette satanée pente qui a tué mes parents et ma grand-mère nous isole du monde. Papa avait sa Volvo, Markos avait sa Jeep, mais moi je n'avais même pas droit à un vélo ! Ils disaient que c'était trop dangereux !

Sofia voulut éteindre la lampe de chevet.

— Reste encore un peu avec moi, Sofia.

— Il est tard. Il faudrait dormir maintenant.

— Je vais encore faire mon cauchemar. Je le sens ! Tu sais, Markos était juste à côté de moi quand ils sont partis dans la Jeep. Avec son short kaki, ses lunettes de soleil, sa casquette et ses rangers, il ressemblait à un général américain en inspection sur le terrain. Il n'a rien dit quand ma mère a annoncé que je n'allais pas à la messe avec eux. Mais j'ai senti ses gros doigts serrer mon épaule. Comme s'il voulait me réduire en miettes !

— Il ne faut pas dire cela, répondit Sofia. M. Katsakas a été désigné pour être ton tuteur. Je suis certaine qu'il ne te veut que du bien. Quand tu auras dix-huit ans, tu seras libre. Tu hériteras de la fortune de tes parents et tu pourras faire ce que tu veux.

— Tu parles !

Quand Iannis se réveilla le lendemain, il était si tôt que le jour n'était pas encore levé.

Il hésita à descendre. Son tuteur était matinal. Pas question de le rencontrer. Son regard erra sur les murs de sa chambre. Il y avait dans un coin une petite bibliothèque avec de vieux ouvrages oubliés pendant les dernières vacances. Iannis n'avait pas de lecture, près de lui, pour patienter. Il se leva.

Un livre mince attira son regard. Pourquoi ne l'avait-il jamais remarqué avant ? La couverture était rouge avec une gravure représentant un Cyclope devant une troupe de minuscules humains. *Odysseus[2] et le Cyclope.*

Sur la première page, Iannis lut deux petites lignes écrites à l'encre :

« Pour les douze ans de mon fils Nicolas.

Sa maman qui l'aime. »

---

2. Odysseus est le nom grec d'Ulysse.

Iannis avala sa salive. Les larmes lui vinrent aux yeux. Ses parents et sa grand-mère étaient morts trop tôt. Le garçon revint vers son lit, l'ouvrage à la main. Il l'ouvrit et commença à lire.

« Les Cyclopes habitaient un pays enchanteur où ils possédaient de grands troupeaux de chèvres et de moutons. Mais c'étaient des monstres qui ne connaissaient aucune loi. Un jour, le bateau d'Odysseus fit escale dans ce pays. Il y avait une caverne, largement ouverte sur la mer. Odysseus y entra avec ses compagnons et y découvrit des réserves abondantes de nourriture ainsi que des enclos remplis d'agneaux et de chevreaux. Odysseus avait apporté de son bateau de l'excellent vin, mais comme le propriétaire n'était pas là, les hommes patientèrent en se régalant de quelques provisions. Enfin le propriétaire arriva, poussant son troupeau devant lui. Il était aussi haut qu'une montagne et n'avait qu'un œil au milieu du front. Il aperçut les étrangers, ferma sa caverne à l'aide d'une dalle ronde qu'il fit rouler et cria d'une terrible voix :
– Qui êtes-vous pour oser pénétrer sans en être priés dans la maison de Polyphème ? Des commerçants ou des pirates ?
Malgré son horreur, Odysseus s'approcha et dit :
– Nous sommes des naufragés, combattants de Troie, offre-nous l'hospitalité, par Zeus notre dieu.
Polyphème répondit qu'il ne craignait aucun dieu et

qu'il était plus grand que n'importe lequel d'entre eux. Il étendit deux bras puissants, et dans chacune de ses mains saisit un marin. Il leur fracassa le crâne sur le sol avant de les dévorer. »

Iannis s'arrêta de lire, vaguement dégoûté par la gravure qui représentait le Cyclope dévorant les deux compagnons d'Odysseus. L'entrée de la caverne était bouchée par une énorme pierre. D'un côté les moutons et les chèvres formaient une masse compacte, de l'autre les marins se serraient les uns contre les autres, tel un autre troupeau de viande sur pattes.
Iannis resta pensif. Le mot « pirate », l'œil du Cyclope et cette montagne de muscles lui rappelaient un homme qu'il ne connaissait que trop bien.

Découvre vite la suite de cette histoire
dans
SOUS L'ŒIL DU CYCLOPE
N° 402 de la série

POLAR
GOTHIQUE

PASSION DE LIRE

LA MALÉDICTION DE LA LICORNE

SOUS L'ŒIL DU CYCLOPE

L'EMPREINTE DU DRAGON

LA MENACE DU MINOTAURE

DANS LES GRIFFES DU SPHINX

LE SECRET DE LA SIRÈNE

Impression réalisée sur CAMERON
par BRODARD ET TAUPIN
La Flèche
en mai 1997

Imprimé en France
Dépôt légal : mai 1997
N° d'Éditeur : 2936 – N° d'impression : 1441S-5